CORÍN TELLADO

La maestra

punto de lectura

Título: La maestra
© Corín Tellado, 2002
© Ediciones B, S.A.
© De esta edición: octubre 2002, Suma de Letras, S.L.
Barquillo, 21. 28004 Madrid (España) www.puntodelectura.com

ISBN: 84-663-0872-5
Depósito legal: M-34.063-2002
Impreso en España – Printed in Spain

Diseño de colección: Ignacio Ballesteros

Impreso por Mateu Cromo, S.A.

CORÍN TELLADO

La maestra

Uno

Beatriz Falcó traspasó el umbral de aquella sala luminosa y blanca, y tropezó con una docena de ojos que la contemplaron con curiosidad. Saludó suavemente, con aquella suavidad, casi virginal, tan innata en ella, y se dejó caer en el borde de una de aquellas cómodas butacas.

Beatriz fue observando, casi sin darse cuenta, que los clientes iban desapareciendo uno a uno tras la puerta blanca hasta que se vio sola en la sala. Y cuando la puerta se abrió de nuevo y apareció en el umbral la firme figura de la enfermera, Beatriz elevó los ojos y la interrogó sin abrir los labios.

—Lo siento, señorita, pero son las dos de la tarde y el doctor no recibe más hasta mañana. Hemos tenido mucho trabajo y el doctor se halla rendido.

Era una explicación innecesaria, puesto que Beatriz no había pedido ninguna. No obstante, se puso en pie, sonrió dulcemente y dijo:

—No vengo a consultar. Por favor, dígale al doctor que desea verlo Beatriz Falcó.

Se abrió de nuevo la puerta y el mismo doctor apareció en el umbral.

—Pero, Triz, ¿por qué has esperado? ¿Por qué no me has dicho que estabas ahí?

Avanzó hacia ella, y cogiendo las manos femeninas entre las suyas, las apretó cálidamente, casi con intensidad.

—Pasa, Triz… Te haces desear tanto, querida mía, que al tenerte a mi lado me siento felicísimo. Ven, pasa conmigo y hablaremos en mi despacho. Traes cara de tristeza. ¿Acaso no estás contenta en el hospital?

Era bueno, cariñoso. La amaba. ¿Desde cuándo? ¡Bah! Quizá desde que ella, una vez, por equivocación, se prestó a ayudarle en el quirófano del hospital.

—Siéntate, Triz. Pareces agotada. Mucho trabajo, ¿verdad? —Una rápida transición y susurró, inclinándose hacia ella, que se había dejado caer suavemente en el borde del canapé—: ¿Cuántas veces te he pedido que dejaras atrás el lastre que supone tu trabajo agotador para cuidar sólo de tu esposo?

—No tengo esposo, Luis —musitó Beatriz, con encantadora sencillez.

—En efecto, pero lo hubieras tenido si me quisieras.

—Debieras de hacer una operación en un corazón, amigo mío.

—¿…?

Beatriz sonrío juguetona y aprisionó las manos masculinas, que apretó suavemente.

—Luis —murmuró, seria—. Tú sabes que es absolutamente imposible. Te quiero como a un buen amigo, el mejor, tal vez el único amigo…

—¿Te has esforzado alguna vez en verme con otros ojos que no fueran los de la amistad, Triz?

La joven lo contempló dulcemente, soltó las manos masculinas, retorció las suyas nerviosamente, y al fin susurró:

—Nunca debemos esforzarnos en amar, Luis. El amor llega silenciosamente, sin decir que está ya próximo a nosotros. Es algo… algo…

—Ya —cortó Gil de Lecca, sin precipitación—. Es algo que ni tú ni yo podremos explicar jamás. Bien, Triz, sabes que jamás te forcé. Dejemos eso a un lado y dime a qué has venido. Sé que no ha sido sólo para verme. Algún otro motivo te ha traído.

—He venido a despedirme, Luis.

El hombre dio un salto en el sillón y se precipitó sobre ella.

—¿Qué has dicho?

—Que me voy lejos, a un lugar desconocido…

—Pero… pero…

Pasó una mano por la frente. Sintió pena. Lo vio achicado, confuso, desconcertado y entristecido.

—Es inevitable, Luis. Mi temperamento no se adapta con facilidad al hospital. Me asusta la sangre, sufro horriblemente contemplando los males físicos de mis enfermos. Era superior a mis fuerzas, ¿comprendes? Estudié afanosamente, aun sin participártelo. Aproveché mis estudios y conseguí el título de maestra…

—¡Beatriz!

—¿Por qué no? Es una forma como otra cualquiera de atender a mi prójimo.

—¡Pero es horrible, Triz! —gimió Luis, cada vez más desconcertado—. Aquí luchabas con los enfermos, es cierto. No es un espectáculo muy agradable para unos ojos tan puros como los tuyos, pero ahora, lejos de todos, entre personas desconocidas, atendiendo quizá a niños no sólo desaplicados, sino groseros… Es terrible, Triz. No apruebo tu decisión en forma alguna. Me has dejado anonadado.

—He conseguido trabajo una escuela quizá remota en un lugar remoto también, pero es que… ¿sabes? Necesitaba cambiar de ambiente. Aquí tengo muchos amigos, buenos amigos. Tú el mejor, sin duda alguna… Allí tal vez encuentre amigos también. Es delicioso, Luis, enfrentarse con un mundo desconocido que has de allanar para caminar mejor…

—¿Y si su duro adoquinado no se allana jamás?

—La paciencia y la resignación es de los fuertes…

¡Qué alma más hermosa la de aquella muchacha! El hombre sintió que la perdía y un pesar horrible lastimó su corazón.

—Es de los fuertes, Triz —susurró, oprimiendo con ansiedad las manos femeninas que se mantenían quietas, dulcemente quietas entre las suyas—. Tu fortaleza espiritual es indescriptible, estoy de acuerdo, pero hay algo terrible en los hombres y en los pueblos… Yo he nacido en un pueblo, me crié en él hasta que cumplí los quince años… Yo no he sufrido porque era un niño, y, además, nadie me rozaba. Pero he visto sufrir a mis hermanas, jóvenes, bonitas, hundirse allí poco a poco, marchitarse, envejecer…

—En el pueblo hallaré la tranquilidad espiritual, Luis. No lo dudo siquiera.

La boca del doctor Gil de Lecca se distendió en una sonrisa ambigua, casi uniforme.

—Un gran error, mi querida apasionada. Un error tremendo que algún día te hará recordar mis palabras de hoy. También la tranquilidad nos hastía. En el pueblo buscarás quizá la compañía de alguien con quien compartir tus impresiones. ¿Lo encontrarás? Ni siquiera lo dudo. No, Triz, no lo hallarás aunque asomaran miles de rostros, si el pueblo es grande, y si es pequeño en las ventanas de las casucas aparecerá alguna cara. Te observarán extrañados. Una mujer joven, decidida, pero que es excesivamente moderna para educar a sus hijos rebeldes. Tus trajes modernos, tus modales exquisitos, tus gustos que, aunque no lo quieras, han de salir algún día a la luz. Todo será motivo de censura. La incomprensión de los pueblos es atroz, mi querida Triz.

—He de conquistarlo para mí, Luis. Estoy segura de ello.

El médico esbozó una débil sonrisa incrédula y luego se apresuró de nuevo a coger los dedos finos y alados de la joven.

—No tengas esa impresión, Triz. Algún día te acordarás de mí. La ignorancia de un pueblo es descorazonadora para una mujer inteligente como tú. No podrás dar un paso sin que seas estrechamente vigilada.

—Luis —exclamó Triz, angustiada—. Miles de maestras han llegado a miles de pueblos un día cualquiera para educar a sus hijos… de esos pueblos que tú censuras.

—En efecto. Lo han hecho por necesidad, una necesidad perentoria que les obliga a trabajar en alguna parte del planeta. Han ido y han sufrido, pero tú no tienes necesidad de enterrarte en un lugar que jamás ha de comprenderte.

—No soy millonaria, Luis —se apresuró a exclamar la muchacha—. Creo que no tengo un céntimo, aparte del dinero que pueda ganar con mi esfuerzo.

—Así es. Pero tienes aquí a un hombre que te ofrece lo mejor de su vida. Su carrera, su capital… Por otra parte, aquí mismo, en esta capital, disfrutas de un trabajo bello, bien remunerado… Si marchas a un pueblo a educar a un puñado de niños salvajes, no es precisamente por necesidad, sino por vocación. Y nadie sabrá alquilatar el valor de tu obra, Triz. Lo que pueden decir es que vas en busca de marido o bien ocultando una falta cometida lejos de ellos...

—¡Me horrorizas, Luis!

—Cásate conmigo, Triz y no salgas de aquí. No te pido que te esfuerces en quererme. Piénsalo bien, pero cásate conmigo. No te pediré nada, Triz. Nada de lo que no puedas darme. El tiempo, la vida, la intimidad de los dos te irá haciendo comprender que soy digno de tu amor.

—Eres muy bueno, mi querido amigo —susurró, quedamente—. Pero no me casaré contigo. Nunca serías feliz a mi lado, Luis. Sufrirías con mi indiferencia.

Se puso en pie. Luis la imitó. Estaba pálido y sus labios permanecían fuertemente apretados.

—Está bien, Triz —dijo bajito, lazando la mano femenina y llevándola a sus labios—. Pueden marchar, no te molestaré más con mis impaciencias. Pero recuérdalo bien, Triz. Si algún día necesitas de mí, de mi amistad y de mi comprensión, acude a mi lado sin reparo alguno.

Emocionada, apretó convulsivamente las manos de Luis.

—Debiera casarme contigo, Luis —dijo bajito, hurtándole los ojos—. Pero si lo hiciera sería desleal a mí misma y a mis principios morales, y algún día, quizá cuando comenzara a amarte, tú mismo me despreciarías.

La mole de acero permanecía quieta, pero los pasajeros subían poco a poco hasta que las ventanillas estuvieron cuajadas de rostros.

Beatriz Falcó, gentil, bonita, con su distinción innata, sus ademanes pausados y elegantes, permanecía aún en el andén rodeada de amigos.

—Te compadezco, Triz —dijo una joven esbelta de grandes ojos azules—. Apuesto cualquier cosa a que dentro de un mes estarás de vuelta renegando de los pueblos y de sus habitantes…

—Ponnos un telegrama, Triz —rogó otro humorísticamente—. Te vendremos a esperar.

—Si aquello merece la pena, Triz, escríbenos —exclamó una jovencita de lindos ojos negros—. Iremos a pasar allí las vacaciones.

—Yo te aseguro, Triz —manifestó otra enfermera—, que has de aburrirte como una ostra.

Beatriz elevó los ojos por encima de sus amigos y los clavó en la tez impenetrable de Luis Gil de Lecca. Este tenía un ramo de flores en la mano, una caja de bombones y una novela.

Adelantó unos pasos y apretó las manos de la joven.

—Triz —dijo bajito, dulcemente—. Ya han dado la llamada. Sube al tren y cuando llegues, escribe a los amigos.

La joven sintió que los ojos se le llenaban de lágrimas. Todo quedaba atrás. Los amigos, el mundo en el cual había vivido durante años y años… Ahora tenía veinte y una nueva vida se le ofrecía. Ignoraba lo que había de encontrar al final de aquella ruta, pero estaba firmemente dispuesta a allanar el camino y tal vez lo consiguiera.

Apretó las manos queridas. Todas, una a una. Besó después los rostros súbitamente entristecidos de sus compañeras y prometió escribir largo y tendido para tenerlas al corriente de su vida pueblerina.

Cuando quiso buscar la silueta del doctor, una de sus amigas susurró quedamente cerca de su oído:

—Ha subido a tu departamento, Triz. Quizá quiere ver por sí mismo si vas bien instalada. El trayecto es largo y no es conveniente que viajes incómoda. Yo en tu lugar no me iría, Triz. Aún estás a tiempo. Gil de Lecca es el mejor médico de la ciudad. Llegará muy lejos… ¿Por qué no te casas con él, si te quiere profundamente? Cualquiera de nosotras nos hubiéramos sentido felices perteneciendo a ese hombre.

La boca de Triz se distendió en una débil sonrisa.

—Todas no somos iguales, Ana. —Luego, bajando la voz, añadió intensamente, con vibraciones apasionadísimas en el arpegio un tanto dulzón de su voz—: Quiero amar, Ana, ¿comprendes? Quiero amar profundamente y a Luis jamás podría entregarle todo mi ser.

Ana encogió los hombros. Recibió el último beso, y la esbelta figura de Triz se perdió en la boca del tren.

Sí. Allí estaba él, solo en el lujoso departamento.

Había depositado la novela, las flores y los bombones junto a la maleta de Triz. La miraba intensamente desde su altura, con dulzura y pena a la vez.

—Escríbeme, Triz —dijo bajito—. Te ruego que lo hagas con frecuencia, y largo, muy largo.

—¿No sería mejor…?

—¿Apagar la hoguera de una vez para siempre? No —murmuró bajito—, sería fatal para mí y para ti. Para ti, porque te faltaría el amigo leal en el que desahogar tus pesares, que has de encontrar a faltar aunque no lo quieras. Para mí porque la falta de algo tuyo me robaría él estímulo y el deseo de vivir.

Por una vez en la vida, Beatriz quiso saber y preguntó, hurtándole el brillo seductor de su mirada:

—¿Tanto me quieres?

El hombre se inclinó súbitamente hacia ella y la miró muy hondo, muy hondo…

—No puedes imaginarlo, Triz —dijo casi sin voz—. Nunca nadie puede imaginar cómo he llegado a quererte y hasta qué extremo me siento deprimido y decepcionado diciéndote adiós.

En aquel mismo instante el silbido del tren atronó el silencio. Triz cogió las manos de Luis y las apretó cálidamente.

—Te recordaré, Luis —gimió—. Te recordaré siempre, siempre, y si algún día necesito de un amigo recurriré a ti. ¡Te lo prometo!

El doctor la envolvió en una larga mirada y súbitamente la atrajo hacia sí.

—Adiós, Triz. Me dejas solo, muy solo. No sé si podré soportarlo. Dios te acompañe y te dé valor y fuerzas suficientes para soportar tu destierro. Al final del largo trayecto que será a mediodía de mañana, tendrás que coger un autobús para llegar a ese pueblo. No lo conozco, pero adquirí informes y sé dónde queda aproximadamente. Luego, el autobús te dejará en una villa muy bonita y desde allí irás a pie seis kilómetros… Como puedes observar, no vas a una capital importante, ni siquiera a un pueblo civilizado… Os rodean muchas montañas y allí en invierno nieva sin cesar…

La soltó bruscamente. Los labios rojos temblaron y el hombre cerró los ojos para no aplastarlos bajo el poder pasional de los suyos. Dio la vuelta en redondo y se apeó en marcha, puesto que el tren se deslizaba lentamente sobre los brillantes raíles…

Y cuando todo quedó espantosamente lejos, cuando las personas eran puntos difusos en la lejanía, se hundió en su asiento, ocultó el rostro entre las manos y sollozó. Tenía mucha necesidad de llorar, y Beatriz Falcó lloraba muy pocas veces. Pero aquel día señalaba un punto crucial en su destino de mujer, y aun cuando la joven desconocía aquel detalle, lo presentía a su pesar.

Dos

Rafael Maturana atravesó la estrecha calle y penetró en la tienda de aperos de labranza. Un hombre de unos cincuenta años, alto, desgarbado, de abundante bigote gris, le sonrió estúpidamente detrás el mostrador.

Rafael se quitó la pelliza de cuero, se arremangó las mangas de la camisa y procedió a limpiar el rostro con una toalla.

—¿Hace frío? —preguntó tío Paco.

—¡El demonio que lo confunda! Creí que no llegaba nunca. ¿Dónde está el pequeño?

—En la cama.

Rafael consultó su reloj de pulsera.

—Son las doce, amigo.

—¿Y eso, qué importa? No hay escuela, no hay necesidad de levantarse.

Un perro lobo irrumpió en la tienda. Traía la escopeta atada al lomo y colgado del cuello un morral vacío.

—¿No hubo caza? —preguntó Paco, con cierta ironía.

—Ni un maldito pájaro —rezongó Rafael, alisando los cabellos con las dos manos. Una rápida transición y añadió interrogante—: ¿Mucho trabajo?

—Un poco, pero ya pasó. Ahora todo el mundo está comiendo.

Rafael avanzó y atravesó la tienda.

—Ven, vamos a tornar una copa en la trastienda. Estoy aterido de frío.

La trastienda se componía de una sola pieza bastante reducida. Había en medio una mesa, en derredor estantes con artículos de venta y tres banquetas verdes muy pegadas a la mesa.

Rafael se dejó caer en una y estiró las piernas enfundadas en altas polainas de cuero.

—Estoy derrengado, Paco… —comenzó friccionando las rodillas con las manos—. He ascendido hacia la montaña y no pude cazar absolutamente nada a causa de la maldita nieve. —Encogió los hombros, apuró el contenido de la copa que tío Paco se apresuró a llenar de nuevo, y añadió pensativo—: Muchas veces me digo que debiera de salir de aquí. Esta monotonía es horrible, Paco. Espantosa para un hombre que tiene la vida destrozada. ¿Qué me importa el dinero? ¿Qué más da que sea yo el único que vende en este maldito poblado?

—Es una vida cómoda, Rafael —dijo tío Paco, sin mucha convicción—. Ganas bastante dinero. Eres rico ya…

—¿Y para qué quiero el dinero? —interrogó con aspereza—. ¿Qué me proporciona?

—Algún día puede proporcionarte la felicidad.

—Una felicidad muy limitada, Paco, si se tiene en cuenta que pertenezco a una mujer.

Tío Paco apuró el contenido de la copa y se atragantó.

—Es inevitable —dijo muy bajo—. Ese obstáculo no puedes desterrarlo aunque te lo propongas… La vida…

Rafael se puso en pie. Su figura imponente pareció aplastar la desgarbada silueta del viejo, cuyos ojos tuvieron un destello de pena que casi no pudo disimular.

—¡La vida! ¿Qué vas a decirme de la vida? —susurró amargamente—. La vida fue para mí desesperada —se inclinó hacia tío Paco y lo miró fijamente con aquellos ojos aplastantes, que parecían anular y enmudecer—. Me han casado a los veinte años, Paco. En lo mejor de la vida, ¿no es cierto? Cuando empezaba a sonreírme me encadenaron a una mujer estúpida, más vieja que yo, fea, horrible, llena de manías, que me hacía la existencia horrible con sus celos infundados… Hemos tenido un hijo…

—No te atormentes, Rafael. Es contraproducente.

—¿Y crees acaso que, aun cuando no lo diga no estoy pensando continuamente en lo mismo? Es mi tortura —añadió con pesar—. Si no tuviera a mi hijo…

—Déjalo. ¿Por qué no se lo entregas?

Rafael dio un paso atrás y derribó una banqueta.

—¿Hablas en serio, Paco? ¿Cómo puedes imaginar que yo pueda dejar a mi hijo en poder de esa mujer?

Tío Paco iba a contestar, pero sonó la campanilla y se levantó súbitamente.

—Voy a ver quién viene.

Y salió. A través de la débil cortina que separaba la tienda, Rafael, casi sin mirar, vio una mujer; una simple mujer del pueblo que venía quizá a comprar algo para su uso doméstico. En aquella tienda había de todo. Aperos de labranza, azúcar, café, libros, zapatos, telas…

Rafael sonrió. ¡Su negocio! Un negocio que daba montones de dinero, puesto que en el pueblo no había más tienda que la suya y a ella habían de acudir los vecinos si no deseaban bajar a la villa, cuya distancia era bastante considerable…

—Ya tenemos maestra, mi querido Paco —oyó que decía la mujeruca—. Una linda maestra encopetada, llena de distinción y con los labios pintarrajeados, como si en vez de ser una maestra fuera una linda corista, de esas que bailan en los teatros de las capitales.

Rafael sonrió. Apuró el contenido de la copa y, retirando la cortina, entró en la tienda.

—¡Hola, señor Maturana! ¿Ha cazado mucho esta mañana? Lo vi pasar desde el corral cuando yo daba de comer a las gallinas.

Rafael encogió de nuevo los hombros. Era una muda respuesta, muy habitual en él. Se sentó en una silla junto al mostrador y cogió el libro de ventas.

La clienta no se dio por vencida. Era habladora como todas las mujeres desocupadas, y le gustaba comentar cosas que no le interesaban en absoluto.

—Pues sí. La maestrita tiene porte de reina destronada. Ha llegado esta mañana a lomos de un burro. La acompañaba el secretario del alcalde… Ya, ya. Este joven secretario se presta siempre a acompañar lindas mujeres. A todas las maestras las acompaña él, y después… Bueno, ya saben ustedes lo que sucede después. Todas se van por su causa.

—¿Y dice usted que es joven? —preguntó tío Paco.

—¿Joven…? Claro que sí, parece una niña. Venía muerta de frío, y en mi casa tomó una taza de café. Luego la mandé a la vivienda de los… —tosió ligeramente y miró a hurtadillas a Rafael— a casa de los Valero…

Rafael ni siquiera levantó los ojos. Fumaba afanosamente y consultaba las cuentas haciendo anotaciones con un lápiz de vez en cuando. Tío Paco se aflojó un tanto el nudo de la corbata.

—Como usted sabe bien, todas las maestras se hospedan allí… El secretario, tras anunciar en la plaza que mañana a las nueve daba comienzo la clase, se fue a lomos del burro y nosotros fuimos a ofrecerle nuestros respetos a la nueva maestra, que no tardará en marchar ni una semana…

—Ésta puede ser diferente.

—No diga usted tonterías, Paco. Todas esas mujeronas de las capitales son iguales. Llenas de orgullo… y después… ya, ya, vienen a buscar marido.

—¿Qué desea usted? —preguntó el vozarrón imponente de Rafael, atragantando a la clienta—. Pida lo que desee y lárguese. Estoy harto de oírla. Va usted a ofrecerle sus respetos y luego viene a la tienda a criticarla. ¿Qué humanidad es la suya, señora mía?

La mujer, muy digna, elevó la cabeza y pidió con los dientes apretados:

—Deme usted una aguja, señor Paco. Era eso lo que venía a buscar.

Minutos después se cerró la puerta.

—¿Es así cómo se debe tratar a una clienta, Rafael?

—Déjate de tonterías, Paco. Estoy harto, harto, ¿sabes? El día menos pensado me ves acostarme y no me ves amanecer.

El pueblo se componía de un centenar de casas. Pequeñas, diseminadas por la pradera, en la falda de la montaña. Hacía un frío extraordinario y Beatriz Falcó, al desembocar en la callejuela angosta, sintió que el aire helado entumecía sus miembros. Aún no recordó a Luis. Aquello lo esperaba. Nadie llegó a Roma en un día, y ella necesitaba pisar aquellos terrenos para luego poner el pie en tierra firme y más tarde en una escuela de primera categoría.

No encontró a ningún niño en el camino. Miró el reloj: eran las nueve menos diez. Quizá estarían en la escuela o bien tardarían en llegar a causa del frío. Sonrió disculpándolos. Había una ternura maternal en su corazón. Amaba a los niños por ser niños e indefensos. Y amaba a todo aquel que sufría y lloraba. También ella había llorado mucho en el transcurso de su solitaria vida. Quizá por eso su corazón se abría de buen grado para todo el que necesitaba cariño.

Una vez hubo llegado a su destino, sintió una desolación horrible en el corazón. La escuela era pequeña, inadecuada para albergar a los niños de un pueblo. Por otra parte, carecía de chimenea, los cristales estaban casi todos rotos y la puerta no cerraba bien. Desalentada, se dejó caer en el sillón tras la mesa y ocultó el rostro entre las manos. No se sentía deprimida por lo que la atañera a ella, sino por la escasa higiene de aquel local, las pocas cualidades que reunía para su cometido y la soledad que la rodeaba. Ni un solo niño la aguardaba. ¿Acaso lo hacían para desterrarla? ¿Es que la civilización no entraba en aquel pueblo?

Con la cabeza oculta entre las manos, muerta de frío e impotencia, permaneció muchos minutos.

Al fin sintió que la puerta era empujada por una mano débil y elevó vivamente la hermosura de sus ojos azules.

Un niño, un solo niño había de pie en el umbral, con los ojos muy abiertos, ávidos, extrañados ante la mujer que avanzaba presurosa con las manos extendidas hacia él. Rafaelito Maturana no estaba acostumbrado a la efusión de las maestras. Había visto a muchas sentadas tras aquella mesa en el transcurso de dos años; y jamás recibió una sonrisa por parte del rostro que siempre había sido terriblemente severo. Tal vez por eso, al sentir que la maestra se levantaba para venir a su encuentro con las manos extendidas y la sonrisa diáfana en los labios, retrocedió asustado y pegó la espalda a la puerta.

—Bienvenido seas, pequeño. ¿Y dónde han quedado tus compañeros?

Las manos de Raf Maturana, que contaba, aproximadamente, la importante edad de siete años, quedaron ocultas en las de la maestra, cuyos dedos friccionaron cariñosamente los deditos rosados del pequeñuelo.

—Ven, vamos a sentarnos juntos a la mesa. Eres un niño muy lindo y muy humildito. ¿Cuántos años tienes?

—Siete, señorita.

La vocecilla era infantil y un rubor delicioso cubrió las mejillas del pequeño Raf.

—¿Cómo te llamas?

—Rafael Maturana.

—Tienes un nombre muy bonito.

—Sí.

—Eres un niño muy lindo, Rafael.

—Papá me llama Raf.

—Muy bien, pues yo también te llamaré Raf. Dime, Raf, ¿es que sólo tú vienes a la escuela?

—Sí, señorita. Nunca vienen ellos. Las maestras se cansan, que es lo que desean, y después se van.

Beatriz se estremeció. ¿Es que iba a suceder igual con ella? ¿Es que su fortaleza espiritual no podría vencer a aquellos rebeldes?

—¿Y tú siempre has venido?

—Siempre, señorita.

—Dime, Raf, ¿cómo eran las otras maestras? ¿Eran como yo? ¿Más viejas?

—Sólo hubo dos mayores; las demás eran como usted.

—¿Y qué hacían? ¿Cómo te recibían cuando tú acudías solo a clase?

El niño iba poco a poco familiarizándose con la nueva maestra. Esta no se parecía en nada a sus antecesoras. Beatriz observó que Raf la miraba con simpatía, y decidió ganar la voluntad de aquella criatura.

Lo levantó en vilo. Lo sentó sobre el tablero de la mesa y, sin dejar de aprisionar la cintura del chiquillo, siguió interrogando:

—Contéstame, cariño. ¿Se enfadaban contigo?

—Conmigo no; se enfadaban solas. Paseaban de un lado a otro de la escuela, gritaban contra los cristales que estaban rotos y lamentaban no tener estufa, y después iban a cerrar la puerta, y como ésta no cerrase bien, le daban un empellón y luego me mandaban a casa.

—Que era, precisamente, lo que tú deseabas.

—Bueno, quizá no lo deseaba tanto como usted supone, señorita. Papá siempre dice que los hombres ignorantes no sirven para nada.

—Tu padre debe ser un hombre muy inteligente.

El rostro del niño se iluminó.

—¿Quiere usted verlo, señorita? Me trajo hasta aquí y andará cazando por el monte. Basta con que yo silbe fuerte para que venga. Siempre hacemos lo mismo. Cuando me trae a la escuela el primer día, me espera por ahí, porque sabe que la maestra no tiene paciencia para malgastar el tiempo con un solo niño.

Las facciones de la joven se atirantaron. Por una vez en la vida el padre de Raf iba a equivocarse.

—No es preciso que lo llames, Raf. Vamos a empezar la clase y tú me dirás algo de lo que sabes.

Los ojos del niño se desilusionaron.

—¿Es que no se marcha usted, señorita?

—No, Raf. No me marcharé de aquí hasta que no venza a mis enemigos. Este pueblo se halla incivilizado y mi deber es civilizarlo.

Beatriz Falcó ignoraba que, en aquel mismo instante, había sentenciado su destino.

Tres

Todos los habitantes del pueblo pudieron observar que la joven y linda maestra regresaba de la escuela con su discípulo de la mano.

Rafael Maturana, al ver llegar a su hijo con el rostro radiante y dispuesto a volver a la escuela por la tarde, recibió una agradable sorpresa. Miró a Paco, sonrió con aquella sonrisa casi inexpresiva y comentó:

—Me parece, amigo, que ha llegado una maestra. Una verdadera maestra.

Beatriz se dirigió a la casa de los Valero. Era la mejor vivienda que había en el pueblo, aparte de la casa donde se vendía de todo, desde el betún a la pasta dentífrica. Estaba rodeada de un pequeño jardín bien cuidado y la morada era cómoda y confortable.

Pero sus moradores no le agradaban a Beatriz. Eran gente muda, casi misteriosa. Se componían de un matrimonio anciano, un muchacho de unos quince años, nieto del matrimonio, y una mujer con cara de amargada, que tendría a lo sumo unos treinta y cinco años. Se llamaba Carmen, y Beatriz observo en ella un mal carácter.

—Buenos días —saludó entrando en el comedor, donde estaba dispuesto su plato y su cubierto.

Una criada le sirvió en silencio. Comió con apetito y se sintió a gusto en el comedor caldeado, luego fue a sentarse junto a la chimenea y encendió un cigarrillo. Sabía que esto había de levantar polvorilla en la casa y, más tarde, en el pueblo; pero ya hemos dicho que la personalidad de Beatriz Falcó no se achicaba por poca cosa.

En aquel instante, cuando con coquetería expulsaba una olorosa bocanada de humo, se abrió la puerta y apareció la llamada Carmen en la estancia. Era una mujer alta, desgarbada, de incoloros ojos y cabellos lacios atados sin gracia tras la nuca.

Al ver a Beatriz con el cigarrillo en la boca, se detuvo en seco. Hubo un destello de desprecio en sus ojos, pero la joven maestra no se inmutó.

—¡Hola! —dijo fríamente, sin hacer alusión al cigarrillo que campeaba desafiador en los bien trazados labios juveniles—. ¿Qué tal le ha ido en la escuela?

—Bien.

—¿Acudieron todos los niños?

—Usted sabe que no. Sabe también que sólo acudió uno.

Carmen Valero se irguió como si se pusiera en guardia contra un posible enemigo. Pero Beatriz, que no comprendía aquella actitud, sonrió, expeliendo el humo de nuevo y dijo:

—El mismo Rafael me lo ha dicho.

—¿Qué le ha dicho?

—Me ha dicho, simplemente, que los niños aquí no van a la escuela, excepto él.

Carmen Valero aspiró. Beatriz observó que respiraba normalmente y que su actitud agresiva había desaparecido.

Preguntó a una mujer dónde podía comprar algunas cosas que necesitaba, como papel, plumas, tiza y demás útiles para la escuela. La mujer la informó de que todo lo que se pudiera comprar se hallaba en la tienda de enfrente.

Beatriz, vestida como por la mañana, recién pintada delicadamente y bien perfumada, se dirigía a la escuela. Eran las dos de la tarde y no tenía mucha prisa, porque sólo hallaría un discípulo. Así pues, decidió comprar aquellas cosas en la tienda y, abriendo la puerta, penetró en ella.

Un hombre de unos cincuenta años se hallaba al otro lado del mostrador. Más lejos, sentado en el propio mostrador, un hombre joven, de unos treinta y dos años, balanceaba con toda tranquilidad las largas piernas enfundadas en altas polainas de cuero. Tenía en la boca un cigarrillo y expelía el humo por la nariz sin que el cigarrillo se moviera en sus labios. Beatriz, un tanto impresionada, miró al hombre con mirada recta, escrutadora. Era, además de arrogante, de una belleza varonil casi conmovedora por los rasgos acusados de su cara, que hablaban de una energía insuperable. Tenía los ojos asombrosamente verdes, de mirar penetrante, agudo y recto, como un puñal. Beatriz sintió que aquellos dos ojos se clavaban en sus ropas como si pretendieran traspasarlas. La miró desde el cabello negrísimo, hasta los píes menudos de finos tobillos. Bajo el poder de aquella mirada el cuerpo femenino se estremeció a su pesar, cosa que jamás le había sucedido en presencia de un hombre, y había visto muchos, infinidad de ellos; pero ninguno como aquél, que parecía único en la tierra.

¿Qué hacía allí, y por qué la miraba con aquella insistencia casi dolorosa?

Nerviosa, volvió los ojos hacia el dependiente.

—Quiero papel, lápices y plumas. Como ninguno de los dos hombres hubiera respondido, añadió con voz insegura, pero firme en el fondo:

—Y también una pelota. Soy la maestra.

El tío Paco dejó súbitamente de parecer una figura inanimada.

—¿Piensa usted jugar al fútbol con los muchachos, señorita? —preguntó con aquella voz bronca y tan personal que sólo podía pertenecer a un hombre como él.

—¿Por qué no? —preguntó la joven, mirándolo de frente sin bajar los ojos, a pesar de la insistencia de la mirada de él, dura y honda—. Los muchachos llegarán a ser buenos amigos míos.

—Estimo que no va a tener usted paciencia, jovencita —intervino cariñoso el tío Paco—. Le aseguro a usted que en este comercio han entrado muchas maestras; todas compraron lápices, plumas y demás artículos para el uso de la escuela —encogió los hombros—. Y todas se han marchado al día siguiente, todo lo más, una semana después de haber llegado.

—¡Yo no me iré!

Fue tan seca la respuesta que tío y sobrino cambiaron una rápida mirada. Tío Paco comenzó súbitamente a empaquetar lo que solicitaba aquella bonitísima mujer y Rafael Maturana llevó de nuevo el cigarrillo a la boca y comentó, antes de desaparecer por la puerta que conducía a la trastienda:

—Celebraré que vuelva usted por aquí, señorita. En realidad, si yo me viera en su lugar tampoco me iría.

La rebeldía de los pueblos llega a vencerse si se sabe blandir su cuerda sensible. Sólo hay que tener voluntad y un poco de inteligencia y, a mi juicio, está usted sobrada de las dos cosas.

—Es usted muy amable —repuso Beatriz, con cierta ironía, pero en el fondo gratamente sorprendida de hallar en aquel villorrio un hombre tan sensato y amable.

A las cinco de la tarde, maestra y discípulo regresaban juntos, muy cogidos de la mano, como por la mañana. El pequeño Raf traía apretada en los brazos una gran pelota y en la otra mano un buen paquete de caramelos. Al llegar a la plaza se despidieron y la joven puso los labios en la frente del muchacho.

—Hasta mañana, Raf. Espero que seas puntual.

—¿Es que mañana también habrá clase, señorita Triz?

—¿Por qué no? Mañana y todos los días.

—¿Para mí solo?

Una enigmática sonrisa entreabrió los labios de la joven.

—Tan pronto como hayas merendado, Raf, sal a la plaza a jugar a la pelota con tus amiguitos. Yo iré también. Creo que mañana ya tendremos algún compañero en clase, ¿sabes? Sí, creo que sumarán dos o tres, y pasado mañana una docena.

Acarició la ensortijada cabeza del muchacho, pisó fuerte y se alejó en dirección a la casa de los Valero.

No fue preciso que Raf fuera a merendar y regresara, puesto que, tan pronto como la maestra desapareció, la plaza se llenó de niños y mujeres. Era curioso lo que estaba sucediendo. Las otras maestras regresaban de la escuela furiosas, enojadísimas, y ésta, en cambio, sonreía a todo el mundo, tenía una frase amable para el vecino y una caricia para cada niño. Y lo más curioso era que regalaba pelotas y caramelos.

—¿Quién te dio esa pelota, Raf? —preguntó un mocosuelo.

—La señorita Triz.

—¿Y quién es Triz?

—Anda, pues la maestra.

Rafael regresaba con el morral atado a la cintura y la escopeta al hombro. Al ver aquel corro de gente se abrió paso y vio extrañado a su hijo. Tuvo buen cuidado de oír sin hablar, y escuchó lo siguiente:

—¿Y también te dio ese paquete de caramelos?

—Claro que sí. Y en vez de estudiar con los libros como hacían las otras maestras, ésta me enseña cantando. ¡Canta más bien!

—¿Sí?

—Y además vino un carpintero de la villa y puso todos los cristales y arregló la puerta de la escuela. ¿Y sabéis lo que han puesto en un rincón de la clase. Pues una chimenea como la de mi casa, que tiene fuego.

—¡Sopla! —se admiró otro chiquillo.

—Y dijo la señorita Triz que a los niños pobres les haría jerséis de lana para que no tuvieran frío.

—Vamos, Ramón —chilló una mujer, cogiendo a su hijo por la oreja—. Hay que lavarte, que mañana irás a la escuela.

—Y tú, Ricardo, ven, que he de lavarte los pantalones y secarlos al fuego, que mañana has de ir limpio a clase…

Una a una, todas las madres fueron desapareciendo.

El hijo de Rafael quedó solo, muy satisfecho con la pelota apretada en las manos. A su lado la muda silueta de su padre, contemplaba vagamente la montaña cubierta de nieve con una mirada especial, admirativa, honda…

El niño dio la vuelta.

—¡Ah! ¿Pero estás ahí, papá?

—Vamos, Raf. Has aprendido bien la lección, ¿eh? Te felicito.

—¿Por qué lo dices, papá?

—No me comprenderías, hijo. Tan sólo puedo decirte que tu maestra es una mujer muy inteligente… y muy bonita —añadió, con un suspiro casi imperceptible.

Cuatro

¿Cuántos niños fueron a la escuela al día siguiente?

Beatriz los contó uno por uno y llegó a la hermosa cifra de doce. En el cajón de la mesa había varios paquetes de caramelos y los repartió cuidadosamente. Luego prohibiéndoles tocarlos hasta la hora de salir, trabajaron muy contentos aprendiendo la lección, tal como Raf había dicho.

Rafael Maturana, que acertó a pasar por allí a las once en punto, se quedó muy quieto oyendo los cánticos infantiles y, de nuevo, una débil sonrisa apareció en sus labios, siempre crispados con amargura.

A las doce, cuando regresaba cansado y lento, los vio avanzar contentos, rodeando a la maestra por la carretera blanca de nieve. Algunos niños vestían lindos jerséis nuevos y botas que el mismo Paco había vendido la tarde anterior a la maestra.

Aquella tarde no eran doce los discípulos, sino veinte, y al día siguiente acudieron todos muy temprano con los libros bajo el brazo, saltando como corzos, felices y tranquilos a encerrarse durante dos horas en aquellas cuatro paredes que una linda mujer había hecho confortables. Ya no era la escuela fría e inhóspita, llena de polvo, con las bocas de las ventanas abiertas a la inclemencia del tiempo. Era casi un hogar, con flores y cortinas. Un albañil colgaba de unos andamios, pintándola de blanco, tan blanca que se confundía con la propia nieve. Y así, un día tras otro, hasta que nadie vio con pesar la presencia de aquella linda mujer en el poblado.

La clase de aquella tarde del jueves había sido cerrada hasta el día siguiente. Beatriz, en su alcoba, contemplaba vagamente la fina cuartilla blanca que tenía ante los ojos. No sabía qué escribir. Luis la comprendería a medias palabras y no deseaba que su amigo pudiera leer entre líneas la vida tan monótona y fría que la rodeaba. Escribió una carta frívola, casi sin sentido. No tenía esperanza alguna de contentar a Luis Gil de Lecca, pero al menos lo intentaba. Entre otra cosas, le describía con frases ridículas el departamento que ocupaba en aquella morada inhóspita, exenta de calor familiar. Añadía que le gustaría vivir en la villa, pero que carecía de medios de locomoción y que, por otra parte, la escuela se hallaba a medio kilómetro del poblado, lo que suponía un contratiempo para su existencia en la villa, cosa que contrariaba sus deseos extraordinariamente. Luego le hacía un retrato casi gráfico de los niños y, después, reseñaba algo de su vida particular, sin rozar para nada la desolación de su espíritu.

Cerró la carta y alisando un poco los cabellos se puso la gabardina sobre la falda gris y el jersey negro, y se lanzó a la calle.

Fue a bajar las escaleras hacia el pequeño vestíbulo cuando vio a Raf. Se hallaba de pie junto a la puerta y parecía dispuesto a marchar.

—Raf, pequeño —llamó quedo, corriendo hacia él apretándolo en sus brazos—. ¿Venías a verme?

Amaba al muchachito menudo, de lindos ojos verdes que le hacían recordar a otra persona. No sabría jamás definir quién era aquella segunda persona, pero Triz sabía que existía. Lo amaba además porque había sido su compañero de fatigas durante las primeras horas de trabajo. Casi se podía decir que había sido, con ella, el iniciador de aquellas clases simpáticas y llenas de encanto que ahora tenían lugar en el reducido recinto de la escuela. Lo amaba también porque era el mejor de todos, el más educado, el más comprensivo… Casi un hombrecito.

Besó apretadamente la frente infantil y se quedó extrañada observando la muda silueta del chiquillo, de ordinario efusivo y cariñoso.

—¿Estás ofendido conmigo, cariño? Una voz respondió tras su espalda:

—No me extraña que haya conquistado a los niños. Pero no es higiénico besarlos con ese entusiasmo.

Triz se volvió en redondo, como si la impulsara un resorte.

—¿Por qué dice usted eso, Carmen? Todas las mujeres tenemos el deber y la necesidad de llevar algo maternal en el corazón. En cuanto a la higiene, he de manifestarle a usted que antes de maestra he sido enfermera durante unos años. Los niños no sólo precisan frases duras para convencerlos. Hay un método mejor y yo lo uso, sabedora de que el cariño y la persuasión es el alma de todo niño. El alma que debemos hallar sin estridencias ni azotes, sino callada y dulcemente. Y en cuanto a Raf Maturana, es un buen amiguito mío. Le quiero casi como si fuera mi hijo.

Las facciones de Carmen se alteraron. Hubo un raro destello en su mirada y farfulló, sin piedad alguna:

—He de participarle, señorita Falcó, que soy la madre de Raf, y puedo asegurarle también que a mi hijo no le agradaría en absoluto tener una madre tan joven y extravagante como usted.

—¡Señora!

Carmen Valero ni siquiera se molestó en mirarla. Aprisionó fuertemente la mano de su hijo y tiró de él hacia la pieza contigua, dejando a Beatriz con los ojos muy abiertos, húmedos por el llanto que se agolpaba a ellos sin piedad alguna. Raf Maturana siguió a su madre, pero aquellos grandes ojos verdes bañaron a Triz en una larga mirada de cariño, que tuvo la virtud de contener la rabia de la joven maestra.

Un minuto después, salía a la calle con la carta apretada en la mano. Hacía mucho frío y el crepúsculo ennegrecido se abatía suavemente sobre el poblado.

Miró en todas direcciones. Las sombras de la noche iban poco a poco invadiendo el pueblo. El frío se había hecho más intenso y Beatriz sintió que su cuerpo temblaba de frío y de pena. Ignoraba dónde podría depositar su carta. Una mujer entrada en años, pasó a su lado con el cesto de la compra bajo el brazo. La abordó. Sabía que, a pesar de educar y vestir a sus hijos, no inspiraba simpatía alguna en el pueblo. Era como si temieran que ella pudiera despertar la inteligencia de los niños para fines perversos. No les guardaba rencor. Después de todo, era una forma como otra cualquiera de ser juzgada por personas ignorantes y obtusas.

—Dígame, por favor, buena mujer, dónde podría echar una carta al correo.

La mujer la miró descarada.

—¿Para el novio?

—Tal vez —repuso con voz insegura.

La mujer extendió el brazo.

—Ahí, en la tienda, tiene usted un buzón. Y no pregunte nunca dónde puede hacer aquello o lo otro, porque aquí todo se halla dentro de ese comercio. De ahí sale el cartero, el médico, el cobrador de la contribución y hasta los recibos de luz.

—Gracias.

Y echó a correr, temiendo que aquella mujer la detuviera un minuto más; un minuto que le hubiera parecido un siglo interminable.

Empujó la puerta y entró.

El viejo no se hallaba detrás del mostrador. Había un hombre; un hombre de ojos verdes y ademanes indiferentes que conmovió a Beatriz de un modo extraordinario, como jamás hombre alguno la había conmovido.

—Buenas tardes. ¿Puedo echar una carta? —preguntó con aquel arpegio de voz dulce y exquisito, que estremeció por primera vez el corazón endurecido de Rafael Maturana.

—Ahí, señorita.

—Gracias.

Salió precipitadamente.

¿Por qué? ¿Por qué la figura de aquel hombre la conmovía y la trastornaba? ¿Y por qué aquellos ojos de mirar agudo y penetrante que jamás se movían dentro de las órbitas, le producían vértigo?

Rafael Maturana jamás le hacía a su hijo una pregunta respecto a Carmen cuando el muchacho regresaba de su casa. Tal vez Raf estaba habituado a aquel estado de cosas, puesto que a su vez se abstenía de hacer comentario alguno de su visita. Pero aquella noche, Rafael observó en su hijo cierta agitación, un mal humor impropio de un niño de siete años e incluso un nerviosismo indescriptible.

Así pues, decidió interrogar al chiquillo y con tal propósito, lo sentó en sus rodillas.

—¿Qué ha pasado, Raf? Por lo visto has tenido un mal encuentro.

El niño se revolvió inquieto. Desde que tenía uso de razón no recordaba haber visto a sus padres juntos. Todas las tardes a la misma hora, regularmente, iba a visitar a su madre. Recibía un beso en la frente, un caramelo y de nuevo buscaba la bendita libertad del campo. Pero aquella tarde las cosas se habían desarrollado de distinto modo, no precisamente para satisfacerlo y esto inquietaba a Raf, creyendo quizá que su linda amiguita, la maestra, se habría enfadado con él.

—Dime, Raf…

—Cuando estaba con…

—Tu madre.

—Eso. Cuando estaba con ella, despidiéndome en la puerta, bajó la maestra…

—¿Qué pasó?

—Triz corrió a mi lado, creyendo que iba a buscarla y me abrazó… Triz siempre me besa y me abraza, ¿sabes, papá? Triz es una mujer muy buena y yo la quiero mucho.

—Continúa, Raf…

—Entonces…, mamá dijo cosas muy feas a la maestra y ella respondió. Poco después, Triz añadió que me quería casi como si fuera su hijo y… mamá respondió que yo no me hubiera sentido orgulloso de tener una madre como ella.

Los puños de Rafael se crisparon. Soltó a su hijo y dio algunos pasos agitados por la estancia. De súbito se detuvo ante su hijo y lo taladró con la mirada.

—¿Cómo reaccionó la maestra, Raf?

—Dijo: «¡Señora!»; pero mamá me cogió de la mano y me arrastró tras ella. Yo he visto que los ojos de Triz se llenaban de lágrimas…

—Bueno, Raf, ve a cenar y acuéstate, es muy tarde y mañana debes ir temprano a la escuela.

—¿Qué he de decirle a Triz, papá?

Rafael quedó suspenso por una fracción de segundo. Luego encogió los hombros y murmuró muy bajo:

—Lo que te salga del corazón, hijo mío.

A la mañana siguiente tío Paco aún no se había levantado cuando se abrió la puerta del comercio. Una figura exquisita de mujer apareció en el umbral. Vestía la falda gris y el jersey negro que se amoldaba perfectamente a la bella silueta de aquella linda muchacha. Llevaba la gabardina desabrochada y Rafael Maturana pudo apreciar la esbeltez del talle, la definición palpitante y muy femenina del busto erguido y hermoso. Abatió un tanto los párpados y susurró solícito:

—¿En qué puedo servirla, señorita Falcó?

—Deseaba saber si tienen ustedes inconveniente en servirme la comida en la escuela.

Por un momento, Rafael dejó a un lado su indiferencia. Salió presuroso del mostrador y se detuvo casi pegado a ella.

—¿Qué ha sucedido?

La pregunta era, a todas luces, una soberbia indiscreción. Tal vez Triz lo consideró así, puesto que irguió la cabeza con altivez y manifestó veladamente, pero con energía:

—Creo que esos son asuntos de mi sola incumbencia. Vengo a hacerle una pregunta y eso es todo. Usted tiene el deber de responder y nada más.

La pasión de aquellos ojos verdes desapareció como por arte de magia.

—Perdone… A veces los pueblerinos, que no tenemos mayormente en qué ocupar el tiempo, nos interesamos por personas que no lo merecen. Sí, —añadió sin transición, rápidamente—: le serviremos la comida en la escuela tantas veces como usted lo desee.

—Todos los días, señor…

—Maturana.

La respuesta fue dada como si se tratara de un tiro. Triz hubo de asirse al mostrador para no caer. Miró al hombre, que repetía:

—Maturana. Sí, señorita: Maturana. Me llamo Rafael Maturana y soy padre de Raf. Creo que ahora me disculpará usted. Quién es Carmen Valero, lo sé yo mucho mejor que nadie y la prueba la tiene usted en que hace más de seis años que no vivo con ella… Por eso me interesaba saber qué había pasado, puesto que Raf me refirió ayer su encuentro en el vestíbulo…

La cabeza de Triz cayó desmayadamente sobre el pecho. Hubo un destello de pena honda, intensísima, en aquellas lindas pupilas azules, y Rafael experimentó, súbitamente, un violento estremecimiento que no supo a qué atribuir.

Avanzó impetuoso hacia ella y trató de alcanzar sus manos.

Ella las apartó presta, y elevó los ojos.

—Soy su amigo, señorita Falcó.

—Gracias —repuso la joven secamente.

Sólo el supuesto de que él pudiera compadecerla, la llenaba de rabia y de despecho. Había ido allí para educar muchachos rebeldes. Había hallado la hostilidad. Fue ganando poco a poco, si no la voluntad de las madres, el afecto infantil de los hijos, y ahora que su obra estaba bien encauzada, no podía en forma alguna abandonarla. Pero jamás volvería a casa de los Valero. ¡Oh, no…! Sufrir otra humillación de Carmen sería superior a sus fuerzas. Si ella estaba llena de despecho y de humillación, que desahogara en su padre su brutal dolor. Pero en ella jamás, ¡jamás! La escena de aquella mañana había sido violenta. Iba a salir cuando Carmen le salió al paso, casi como al descuido. Triz saludó con indiferencia y Carmen se plantó ante ella.

—¿Por qué se empeña en conquistar la voluntad de mi hijo? ¿Acaso busca usted la de su padre?

—Señora…

—Es usted una mujer de película, señorita Falcó. Fuma usted como las actrices y si por mí fuera, jamás educaría a un niño en esta comarca…

Siguió desbarrando. Insultándola hondamente. Lastimando su fina sensibilidad de mujer… No repuso nada. ¿Para qué? Era una amargada, que se consumía sola entre aquellas cuatro paredes verdes y brillantes, pero monótonas y tristes.

Salió desesperada. ¡Si Luis la viera! Pero Luis estaba lejos y ella tenía que luchar. Tenía que vencer.

Irguió la cabeza y halló la mirada verde muy cerca de sus ojos.

Retrocedió asustada, porque aquella mirada le traspasaba el alma.

—Espero me sirvan ustedes la comida y la cena, to-do en la escuela —dijo de prisa—. Buenos días, señor Maturana.

Rafael quedó clavado en el suelo, con la vista fija por donde ella había desaparecido. Tenía los puños cerrados y en los ojos una luz nueva, intensísima...

Cinco

Los niños se habían alejado cantando por la carretera abajo. Triz curioseó todos los cuadernos, borró las rayas que había en el encerado y después se sentó tras la mesa, con los codos en el tablero y la cara hundida en las palmas abiertas.

—¿Se puede, señorita Falcó?

Era él. Él mismo, con la mochila al hombro y la sonrisa en los labios. Enfundado en las ropas de montar, parecía más alto, más imponente. Triz sintió que se estremecía de pies a cabeza. Era inútil sustraerse a aquella convicción. Rafael Maturana, el padre del pequeño Raf, era el único hombre que conseguía conmoverla. Estaba allí de pie en el umbral, ajeno a la mirada indiferente. Ahora había en sus verdes ojos penetrantes una luz nueva, cegadora. No se levantó. Las piernas se hubieran negado a sostenerla.

—¿Qué desea, señor Maturana?

—Le traigo la comida.

Avanzaba por el pasillo hacia la mesa, erguido, sin soltar la mochila, sin dejar de mirarla.

—¿Por qué ha venido usted? ¿No hay en su casa una persona más indicada?

—Quizá sí; pero preferí hacerlo yo. Es más razonable.

Depositó la mochila sobre la mesa y fue sacando, mudo y serio, una comida suculenta.

—Está usted pálida, señorita Falcó. Creo que en casa de los Valero no la han cuidado bien.

Le pesaba haber ido a la tienda. Nunca hubiera ido de saber que él era el padre de Raf. Además…

—Bien, déjela ahí, que ya mandaré la mochila por Raf…

Rafael se sentó frente a ella en una silla un tanto desvencijada.

—Esperaré. La mochila pesa bastante para un niño como Raf.

Triz supo que no se movería de allí, entretanto ella no le entregara la mochila con los platos vacíos y el cubierto. Así pues, trató de ignorarlo y comió en silencio, sin volver los ojos hacia él ni una sola vez.

—Ya he terminado, señor Maturana.

—¿Está usted segura?

Triz le hurtó los ojos. Aquel juego de palabras, aquellas miradas la inquietaban hasta el extremo de desear esfumarse en el mundo para no tener ante sus ojos nunca más, los ojos verdes de aquel hombre que tras desnudar su cuerpo, se hincaban con avaricia en sus carnes y penetraban en su corazón.

—No tengo apetito.

Rafael se inclinó hacia la mesa. Su pecho imponente parecía más poderoso así, sobre la mesa, casi pegado a su cara.

—Señorita Falcó, quisiera borrar de sus ojos esa mirada hostil. Parece que me teme usted. Y si usted tiene un amigo, un verdadero amigo, ése soy yo. No tema usted nada de mí —añadió con prisa—. Sería capaz de hundir el mundo antes de consentir que alguien la ofendiera, o la maltratara.

—Gracias. Es usted muy amable.

—No es esa la respuesta que deseo, señorita Falcó. Hay algo más expresivo. Con mi hijo es usted comprensiva, cariñosa. No pido tanto, pero al menos entrégueme usted su amistad.

Imposible soportar tan cerca la mirada de aquellos ojos. El rostro terriblemente atezado, donde los dientes brillaban provocadores, era una horrible obsesión para Triz. Se puso rápidamente en pie y le dio la espalda. En seguida sintió la respiración agitada de Rafael muy cerca de su cuello. La quemaba. Aspiró la joven con fuerza, agitó desesperadamente la cabeza y murmuró ahogadamente:

—La amistad no se entrega así, señor Maturana. Cierto es que amo profundamente a su hijo… Ignoro las causas. Pero usted es diferente. —Se volvió en redondo y añadió presurosa, con intensidad—: Señor Maturana, le ruego que no vuelva por la noche a traer mi cena. Envíe usted a su criada o bien al hombrecito enjuto y desgarbado que se hallaba el otro día detrás del mostrador.

—Pero, ¿por qué?

Triz se retorció las manos nerviosamente. ¿Es que aquel hombre no se daba cuenta de que todos le verían pasar? ¿De que Carmen estaría deseando algo con que dañarla?

—Escuche, Rafael. Si es usted mi amigo, le ruego que no vuelva de noche. Desde que he nacido estoy tratando de ganar honores y sería fatal que, además de hallarme enterrada en este pueblo tratando de civilizar a los niños rebeldes, perdiera lo mucho que he ganado en toda mi vida.

—No la comprendo a usted.

—Mejor es así. Sólo le ruego que no venga usted a traer mi cena.

Rafael retrocedió y se dirigió a la puerta con la mochila al hombro. No había dado respuesta a su demanda, lo que indicaba que no se hallaba de acuerdo. Y Triz, durante la clase de la tarde, estuvo ausente, inquieta, nerviosa. Presentía que él habría de volver y no se equivocó.

Las sombras de la noche danzaban amenazadoras en torno al pequeño edificio de la escuela. Ésta brillaba en aquella oscuridad como un puntito de nieve mezclado con los muchos que se esparcían por la senda.

Con la cara pegada al cristal, Triz oteaba la carretera. Sentía miedo, miedo de su soledad, de los hombres, de la vida, del amor…

Unos golpes sonaron en la puerta. Se quedó rígida y estática. ¿Cómo podría pasar allí la noche sin cama, casi sin sillas donde permanecer sentada con seguridad, sola en medio de un mundo desconocido y hostil? Se estremeció de pies a cabeza y dos lágrimas quisieron asomar a sus ojos. ¡Cuánta razón tenía Luis! ¡Cuánta razón!

—Abra, señorita Falcó. Soy yo.

Ni el miedo a la soledad, ni la noche que se cernía amenazadora sobre ella, ni siquiera el temor a los animales que pudieran acudir en plena noche a la escuela, tal vez para dar buena cuenta de ella, le inspiraron tanto miedo como la voz de aquel hombre que al otro lado de la puerta demandaba entrada. Como impulsada por un soporte, corrió hacia la salida. La abrió con rabia y se plantó en el umbral.

—¿No le he dicho a usted que no viniera? —preguntó con acento ahogado—. Además de ser usted un hombre, señor Maturana, es un hombre casado, con una mujer viva y un hijo. Yo soy también una mujer. Una mujer decente, que por nada del mundo desearía ser comidilla de un pueblo inculto y cruel. Le he dicho que voy a ganar, no a perder, y usted me está perdiendo. Deje usted ahí la mochila y márchese. ¿Me oye usted? ¡Márchese!

La mirada de Rafael adquirió de nuevo aquella indiferencia que lo hacía tan personal. Ya no era el hombre tranquilo y confiado, sino un hombre simplemente, terriblemente ofendido.

Dejó la mochila en el suelo, apoyó su hombro en el quicio de la puerta abierta y sonrió.

—Escuche, Triz —dijo con acento tranquilo y mesurado—. Admito de buen grado sus divagaciones. Es más, no me di cuenta de ese detalle hasta ahora. Vivo en un mundo aparte y las malas lenguas me han lastimado demasiado para continuar haciendo caso de ellas. Nunca he tenido una buena amiga. Ni siquiera un amigo. Jamás he confiado en nadie. Puede usted saberlo si hace alguna pregunta respecto a mí. Pero ha llegado usted, la vi entera, decidida, dispuesta a derrumbar la voluntad obtusa de un pueblo estúpido y vencer. Vencer con armas nuevas, que no toda mujer tiene paciencia de blandir ante la humanidad vacía. Y la admiré, ¿comprende usted? Que el diablo me confunda si he venido aquí con otro propósito que el de servirla. Esta mañana me habló usted de algunos honores. Yo, francamente, no la comprendí. Ahora que ha sido usted más explícita, sí la he comprendido,

47

y me pregunto si es usted tan valiente como yo presentí. Creo que no, señorita Falcó. ¿Qué importan las malas lenguas, cuando un hombre y una mujer se sienten atraídos uno hacia el otro, exentos de bajos propósitos? Yo la admiro a usted. Agradecí infinito que besara la frente de mi hijo y le hiciera sentir el beso maternal, que cuando va a buscarlo no es maternal ni siquiera ese beso. Yo soy aquí un punto y aparte señorita Falcó. No pido nada para mí, puesto que usted se obstina en imaginar cosas absurdas. Pido que siga usted queriendo a mi hijo y que ahora mismo, sin cenar incluso, coja la gabardina y se venga conmigo.

—¿Que me vaya con usted? ¿Se ha vuelto loco?

—No, ciertamente. No lo hago por quijotismo, Beatriz —dijo fuerte, dejando el tratamiento a un lado—. Lo hago por humanidad, porque nunca he sido un monstruo, aunque Carmen hiciera creer lo contrario. No puedo consentir en forma alguna que pase usted la noche arrimada a esa ventana, con la frente helada y los pies entumecidos. Se vendrá usted a mi casa y después tendrá tiempo de decidir lo que mejor le parezca.

La joven aspiró hondo. Había ido demasiado lejos imaginando lo que en forma alguna jamás había existido en el cerebro del hombre y en cierto modo se sentía humillada.

—Se lo agradezco mucho, pero me quedo. Mañana será otro día y decidiré lo que debo hacer. Soy una mujer valiente y no tengo miedo, se lo aseguro. Ha sido usted muy amable viniendo a buscarme, pero no iré.

—No soy hombre que insista, señorita Falcó —comentó con aspereza—. Pero me voy a permitir el lujo de advertirle que la noche en este paraje no es muy tranquila. Aparte del miedo natural que ha de sentir usted, que, en el fondo es como las demás, ni mejor ni peor que otra cualquiera, existe el peligro de los lobos. Yo, en su lugar, no sería tan obstinada.

—Repito que se lo agradezco. Pero me quedo.

Rafael, que venía enfundado en una pelliza de cuero y tapada la boca con una bufanda muy gruesa, se la quitó de nuevo, pero esta vez no fue para hablar, sino para encender la pipa, aspirar hundo y expeler lentamente.

—Como usted quiera. Hasta mañana. Ahí le queda la cena.

Se cerró la puerta y ella se precipitó sobre la ventana. No lo vio pasar. ¿Acaso se hallaba aún junto a la puerta?

Estuvo allí minutos y minutos. Tal vez horas. No vio cruzar la fuerte silueta masculina. Miró el reloj. Eran las doce en punto de la noche. Quitó el reloj. Le dio cuerda, lo volvió a poner nerviosamente y miró otra vez hacia la carretera, que brillaba blanca en la oscuridad de la noche.

Fue hacia el pupitre y apoyó la cabeza en la madera.

Lloró. Hacía mucho tiempo que no lloraba con tanta ansiedad. ¿Y si, como decía él, los lobos bajaban a la escuela? Se estremeció. Sentada en el asiento del pupitre con la cabeza en el tablero, permaneció mucho tiempo. Jamás supo cuánto, porque ni siquiera miró el reloj para no asustarse de la hora avanzada de la noche. Sintió frío y pena. Recordó a Luis, tan caballeroso, tan enamorado…

Pero no experimentó deseo alguno de correr hacia él. En lugar del rostro de Luis aparecía la cara atezada de otro hombre, cuyos ojos verdes miraban con ira, luego dulcemente, apasionados más tarde. Un violento estremecimiento la recorrió de nuevo. ¿Es que se había enamorado de Rafael Maturana? Sería estúpido, fuera de lugar en una mujer entera y digna como ella.

No había cenado. La mochila repleta permanecía en el suelo, junto a la puerta cerrada. Por un momento recordó que no había pasado el cerrojo y corrió hacia allí. Y fue en aquel instante cuando se abrió la puerta y la figura de un hombre se recortó en el umbral. No era un hombre como Rafael, ni siquiera como otro cualquiera de los que había visto en el poblado. Era un hombre desconocido, vistiendo andrajos, calado por la nieve, con la barba de muchos días y un saco al hombro.

Al hallarse con aquel fantasma, la maestra se llevó las manos a la boca y lanzó un grito penetrante que traspasó el silencio casi augusto de la noche.

—Bonita mujer —dijo el mendigo, con aflautada voz—. He sido un hombre de suerte esta noche.

Triz retrocedió pálida como la cera, con los ojos desorbitados por el espanto y las manos extendidas en demanda de auxilio.

—No te alejes, prenda —murmuró el hombre, dejando el saco en el suelo—. No te haré ningún daño. Acertaba a pasar por aquí. Y cuando lo hacía antes, la escuela no tenía cerrojo ni cristales. Era una buena guarida para el mendigo. Hoy me extrañó verla tan blanca y tan bonita y empujé la puerta creyendo que habría sufrido también la consabida transformación. Al sentir que cedía, entré… ¡Pardiez, no esperaba encontrarme con una mujer tan bella y tan joven!

—¡Váyase usted! —chilló Beatriz—. Se lo ruego, por caridad.

—¿Caridad? —gritó el mendigo, enfurecido—. ¿Es caridad de la humanidad permitir que un mendigo ande tirado por los caminos en esta noche de nieve y de frío? Nadie me ha socorrido, hermosa dama. Yo tampoco pienso tener caridad de ti. Eres una mujer muy bonita, diablo. Lindos ojos, bella figura, juventud y buenas prendas. ¿Acaso esperas a un amante imaginario o es real y se halla próximo?

—Váyase, se lo suplico por lo que más quiera.

—A fe mía que jamás he querido a nadie. Pero ahora te voy a querer a ti. ¡Eres linda, linda!

Beatriz le vio avanzar, sucio, horrible, sin piedad... Se replegó contra la puerta, sintió que cedía, y lanzando un grito, se lanzó a la calle.

—Espera —gritó el hombre.

—¡Dios mío! —gimió Beatriz. Y con voz desgarradora grito—: ¡Socorro, Rafael!

¿Por qué llamar a Rafael si éste, por lógica, tendría que hallarse muy tranquilo en su casa?

Se tapó los ojos horrorizada y sintió que los pasos del hombre la seguían. Y fue en aquel instante cuando una figura masculina, inconfundible, apareció ante sus ojos, frente a ella, sacudiendo la pelliza llena de nieve y quitándose la bufanda que tenía atada a la cabeza.

—Rafael —susurró Beatriz, lanzándose en sus brazos desesperadamente.

Los de Rafael la apretaron con intensidad, convulsivamente. Fue un minuto, sólo un minuto, pero Beatriz experimentó algo parecido a la felicidad, cuando sus labios aprisionaron el calor de aquella otra boca que con ansiedad se clavaba en su carne.

—Mira por dónde veo a Rafael Maturana haciendo el amor a una linda jovencita —dijo una voz tras ellos.

El cuerpo de Beatriz se apartó como si la mordiera una víbora. Rafael avanzó con el rostro demudado y las mandíbulas crujientes.

—¿Quién eres? —gritó fuera de sí—. ¿Qué haces aquí?

—Por poco me apodero de tu paloma. ¿No me reconoces? Soy un mendigo. Un mendigo cualquiera de los muchos que bajan al pueblo de vez en cuando. Hace varios años que no bajo. Cuando lo hice la última vez tu separación con Carmen Valero se hallaba en trámite. Se hablaba mucho de vosotros… ¡Ji, ji! Y ahora, buscando un entretenimiento, ¿eh? Has tenido suerte. Es una linda mujer.

¡Paf! ¡Paf! ¡Paf! Las bofetadas eran duras, sonaban huecas en el rostro del mendigo, cuya figura fue encogiéndose lentamente hasta que quedó tendido en el camino cubierto de nieve, confundiéndose su saco con un guijarro.

Las dos figuras, la del hombre y la mujer, permanecieron mudas, rígidas ante el cuerpo tirado sobre la nieve. De súbito, Rafael se lanzó sobre él y le sacudió. Estaba de rodillas en la carretera y alzó el rostro sin mover el cuerpo. Una crispación amarga distendió su boca. Los ojos se apagaron y Beatriz se inclinó hacia adelante, buscando afanosamente las pupilas verdes que de pronto se clavaron en las suyas. Ambos de rodillas junto al mendigo, aprisionaron sus manos convulsamente. Rafael apretó las de Beatriz, casi hasta hacerle daño y dijo con un hilo de voz:

—Le he matado, muchacha.

Seis

La carretera era recta y larga. Hacía un frío penetrante y agudo que calaba en el cuerpo de Beatriz como si rasgara sus carnes una espada. De súbito, la mano del hombre se deslizó por debajo de su brazo y el talle de Beatriz, aquel talle flexible y esbelto, quedó rodeado por el brazo fuerte y poderoso. No se apartó. ¿Para qué? La evidencia de aquel amor nadie podría negarlo y menos que nadie ella, que aún lo sentía palpitar en su boca.

—Ha sido horrible, Rafael —musitó ahogadamente.

Iban pegados uno al otro. Hacía mucho frío y faltaba un gran trecho que recorrer. La gabardina de la muchacha era insuficiente para librarla del frío, por lo que él abrió la pelliza, la cerró de nuevo sobre el cuerpo joven y después la apretó cálidamente, con dulzura, contra su corazón.

—También tú estás, temblando —dijo ella, bajito.

—No es el frío, pequeña. Quizá es…

—Cállate, por favor.

—No podemos ir contra la vida, Beatriz. Ni contra nuestro destino. Tú has venido aquí porque estaba yo. Y yo te esperaba. Lo supe cuando te vi entrar la primera vez en la tienda a comprar una pelota que luego, más tarde, trajo mi hijo…

—Pero en la carretera queda un delito horrible, Rafael —musitó ella, con voz desfallecida.

El hombre se detuvo. Sentía el calor del cuerpo de Beatriz en su propio cuerpo. Acarició la cintura flexible y ella, instintivamente, se apartó.

—No debes hacerlo, Rafael. Es horrible, horrible.

Y se tapó el rostro con las manos.

—Mañana aparecerá muerto, Beatriz… Una muerte natural, estoy seguro. Mis bofetadas sonaban a hueco, muchacha. Recuérdalo. Era como si diera en carne fofa. Yo no lo he matado. Y si fuera así… —sus ojos se hundieron en la noche— me entregaría, Beatriz. No podría llevar sobre mi conciencia la muerte de un semejante. Pero iría a la cárcel con la satisfacción de saber que me amas…

Ella se apartó más. Quedó de pie en medio de la carretera, sola, erguida, lívido el rostro, extraviada la mirada. Pensó en Luis, en la confianza que en ella había puesto. En sus amigos, que la consideraban de una moralidad intachable. En el pueblo, en Raf. En sí misma. En Carmen… Y pensó, sobre todo, en su condición de mujer honrada que tenía el deber de negar rotundamente la evidencia de aquel amor insensato. No había amado a Luis. Le rechazaba su corazón, aunque la amistad gritaba por él. Y, sin embargo, amaba ahora a un hombre casado. Había consentido que la besara, sentía aún la caricia de sus manos en la cintura, el calor de su boca en la suya… Horrorizada, retrocedió aún más. Él se abalanzó sobre ella y trató de aprisionar sus manos.

Era una escena conmovedora en mitad de un paraje cubierto de nieve… Hacía mucho frío, pero en aquel momento, Beatriz, la maestra espiritual, la mujer sólidamente formada, la mujer de espíritu exquisito y de corazón inmenso, sintió que el calor subía a su cara y que los ojos ardían, encendidos por el llanto.

—No me toques, Rafael. Podría amarte desesperadamente, con intensidad, hasta la muerte, pero eres de otra mujer. Esa mujer está aquí, en el pueblo…

—No voy a pedirte nada que no puedas darme, Beatriz —repuso Rafael, con voz temblorosa—. Pero déjame quererte, mujer. No me quites lo poco bueno que puedo tener. Tú me quieres, Beatriz. Me has querido como yo te quiero. Sabes que otro hombre jamás podrá besarte, ni rozar tu cuerpo… Espiritualmente, me perteneces. No soy un patán, Beatriz —añadió, bajito—. Soy un hombre razonable y culto que se consume aquí por su hijo. Al concederme la separación me han puesto una condición horrible. Había de permanecer en el pueblo mientras viviera mi hijo. Y si no lo hiciera así, tendría que entregar a Raf a su madre y ella jamás sabría hacer de mi muchacho un hombre sólidamente formado como yo. Me han casado cuando desconocía lo que era la vida y el amor. He vivido enterrado en un mundo desconocido, al lado de una mujer incomprensible y cruel. Y cuando al final de uno de mis muchos viajes regresé, me encontré con un hijo y una mujer iracunda. Se me prohibía salir, había que permanecer al lado de aquella momia que sentía celos hasta de mi propio hijo… Y entonces, Beatriz —añadió, más bajo aún—, yo ya era un hombre de experiencia. La odié, ella me odió y como la vida era un infierno a su lado, decidí separarme. Para ello tendría que trabajar a su lado como un labriego, ganar sólo para mantener el maldito rango de los Valero.

Beatriz quedó petrificada. Una nube pasó por sus ojos. Recordó la comodidad de aquel hogar, la vida muelle de sus moradores. Sin moverse, contempló a Rafael fijamente.

—Quieres decir que tú...

—Que no tengo un céntimo, Beatriz. Que trabajo para ellos. Soy yo quien les mantiene, y si no fuera así ya hace mucho tiempo que estaría lejos de aquí. Pero cuando nos separamos, me han concedido la separación con esa condición infame que me ata a esta tierra para toda la vida mientras viva ella, y ella...

—¡Oh, cállate, por favor! Llévame a tu casa. Mañana decidiré lo que debo hacer.

Trató de cogerla del brazo, pero Beatriz se apartó rápidamente.

—No me toques, Rafael. Hazlo por mí, por nuestro amor.

El hombre, súbitamente, la cogió por ambos brazos y la aplastó contra su cuerpo. Empezaba a nevar de nuevo y la gabardina beige de la maestra se llenaba de puntitos blancos que poco a poco se derretían.

—¡Bendita seas, Beatriz! Si es que confiesas el amor que me tienes, tendré valor para soportarlo todo, pero tú tienes que prometer no irte jamás de este poblado. Después de haber paladeado la caricia de tus ojos, no puedo en forma alguna quedar solo de nuevo con mi dolor, mi hijo y mi impotencia...

Una mirada dulcísima brilló en los ojos de la maestra. Estaban muy juntos, pegados sus cuerpos, apretadas sus manos convulsivamente. Y aquellos ojos verdes se clavaron en los suyos con una expresión honda, inmensa.

—No lo hagas —pidió ella, bajito, dulcemente—. El sacrificio de nuestra renuncia es más hermoso que el placer de un beso mismo.

—Dios te bendiga, mujer —susurró Rafael, soltándola súbitamente y mirando con obstinación la palidez de un cielo que se abría al amanecer.

Cuando entró en la tienda, él no estaba allí. Los niños iban uno a uno desfilando por la carretera y Beatriz sintió el horror de aquella visión que seguramente se hallaba tendida en la carretera. Encasquetaba el gorro sobre la cabeza, cuando tío Paco le entregó una carta.

—Ha llegado ayer noche para usted, señorita Falcó.

—Gracias.

Reconoció en seguida la letra de Luis. Un cúmulo de gratos recuerdos acudió a su mente.

Iba a abrirla, cuando apareció un alguacil en la puerta del comercio.

—Me temo que hoy no haya escuela, señorita Falcó —dijo, respetuoso—. Ha aparecido el cadáver de un hombre en la carretera y hemos enviado de regreso a los niños por el atajo. No es una visión muy agradable para los ojos de los niños.

Quedó muda, sin saber qué responder.

—Es preferible que usted no vaya tampoco, señorita Falcó. Dentro de unos minutos tendrá lugar el levantamiento del cadáver y la verdad es que nos hemos visto negros para apartar a la gente. —Miró a tío Paco y preguntó—: ¿El señor Maturana? Como concejal del Ayuntamiento, es preciso que acuda al lugar del suceso.

—Voy ahora mismo —dijo una voz, apareciendo en el umbral de la puerta que separaba la trastienda.

Beatriz sintió la voz tras ella pero no se movió. Con la carta en la mano, sin abrir los labios, retrocedió hacia el pasillo y lentamente, sin mirarle, subió hacia la habitación que le habían destinado.

Sentada en el borde del lecho, miró ante sí con ojos hipnóticos, como si no fuera ella y su ser perteneciera a algo etéreo que flotaba en el ambiente. Estrujaba la carta con nerviosismo, sin atreverse a abrirla. Era como si la voz de Luis, aquella voz bronca y personal que tan feliz la había hecho en ocasiones, cuando su espíritu se hallaba necesitado de un consuelo moral, la estuviera censurando.

«Tú, la muchacha que yo hubiera amado hasta sacrificar por ella mi porvenir, mi vida y mi ser, la mujer que hubiera puesto en un pedestal de oro, me ha defraudado. Eres una mujer de la tierra, Triz. Una de tantas, como miles y miles de ellas, sacrificadas a sus pasiones terrenales. Creí que nunca, jamás, dejarías de ser la chiquilla espiritual que amaba con el alma y no con los sentidos. Y ahora compruebo que amas a un hombre. Esto sería lógico si se tratara de un hombre libre. Pero está casado, Triz. Aunque él y los hombres puedan decir lo contrario, Dios ha santificado su matrimonio y, por lo tanto, pertenece a una mujer. Y tú le amas, Triz. Has cometido la enorme debilidad de amarlo cuando ese amor debiera de estar prohibido para ti.»

Apretó las sienes con ambas manos y gimió. La angustia la ahogaba. La rabia de saber que Luis, si pensaba aquello, acertaba, le producía náuseas y desesperación en el corazón, que siempre había sido leal consigo misma y ahora dejaba de serlo para conducirla vertiginosamente hacia un fruto que le estaba vedado.

La carta parecía una bolita entre los dedos agarrotados. Una llamada a la puerta la irguió súbitamente. Y aquel

58

sobre quedó convertido en algo informe dentro del pequeño puño femenino.

—Pasen.

Estaba allí, mirándola dulcemente desde su altura imponente. Tenía los magníficos ojos velados por una nube de tristeza y la sonrisa que esbozaban sus labios era más bien una mueca de ansiedad.

—¿Qué desea? —preguntó ella con acento apagado.

Rafael no avanzó. Como clavado en el suelo, permanecía muy quieto, muy rígido, clavados los ojos en la faz angustiada.

—Estás sufriendo horriblemente, Triz —susurró—. Y esto me inquieta. Voy a bajar a la villa con ellos y el cadáver. No sé lo que sucederá allí, pero quiero decirte que si no regreso, tengas piedad de mí y me recuerdes dulcemente, sin rencor. Quiero pedirte también que cuides de mi hijo y que seas valiente para afrontar lo que pueda venir. Yo jamás dejaré de amarte, Triz. Cierto que me está vedado confesar esta bendita verdad, pero aquí, a solas contigo, has de perdonar que lo confiese sinceramente. Te quiero mucho, Triz. Apasionadamente, como jamás hombre alguno amó a una mujer. Y sé que jamás podré llegar a ti. La vida nos separa, el mundo nos censura, pero mi amor te bendice, Triz. Esto es lo que venía a decirte.

La palidez del rostro femenino había aumentado súbitamente. Impotente, sintiendo que el amor de aquel hombre era más fuerte que su voluntad y su ser, dio un paso al frente, extendió las manos, pero las bajó instantáneamente, exhalando un profundo suspiro.

—Vete, Rafael —susurró con la cabeza inclinada sobre el pecho—. Nunca debí venir a este lugar, pero una voz interior parecía que me llamaba. No sé si me pesa o no. Lo que sí puedo jurar es que te amo profundamente y que daría la mitad de mi vida por no quererte.

—¡Triz!

—Vete —pidió con acento ahogado—. Esta situación es superior a mis fuerzas. Vete, Rafael, y vuelve si puedes…

Los pasos masculinos retrocedieron lentamente y antes de dar la vuelta, clavó en ella una mirada honda y desesperada. Después, la puerta de la alcoba se cerró y Triz se echó sobre la cama con el rostro oculto entre las manos. Y fue en aquel instante cuando se dio cuenta de que aún no había abierto la carta de Luis Gil de Lecca.

Siete

No hubo clase aquella tarde.

Los niños jugaban en la plaza, y Beatriz les miraba a través de la ventana de su cuarto.

Tenía que salir de allí aquella misma noche. Ninguna maestra se había hospedado en el comercio y la gente censuraba a su gusto la brusca decisión de la maestra. Posiblemente, la misma Carmen un día cualquiera dejaría caer una duda que, más tarde, sería afirmación por parte de la gente, que estaba siempre predispuesta a la maledicencia.

Aún permanecía la carta cerrada sobre la mesa. Triz sentía horror de romper el sobre porque miles de recuerdos gratos acudían a su mente. Por otra parte, sabía que Luis había leído entre líneas la desolación de su corazón. Y se lo diría, sí. Repetiría una y mil veces el mismo ofrecimiento, y si en una época no lejana el matrimonio con Gil de Lecca le resultaba penoso, ahora, que sabía qué era el verdadero amor, tal como lo había presentido y esperado, menos aún.

Con rabia, dio la vuelta. Pensó en Rafael al coger aquel sobre. Y le imaginó detenido en la audiencia, culpándose de una muerte humana. Se tapó los ojos con las palmas de las manos. Después, haciendo un sobrehumano esfuerzo, clavó los ojos en la cuartilla llena de una letra menuda y apretada, casi ilegible.

«Mi querida muchacha. Ha llegado a mi poder tu carta. Una carta confusa, balbuciente, como si la persona que guió la pluma pretendiera ocultar muchas verdades. Tal vez, a estas horas has recordado las palabras de tu fiel amigo… ¡Oh, sí, mi bella Triz, no eres feliz, ni te ha gustado el lugar, ni te son simpáticos sus habitantes! No me digas que no, Triz. Soy un hombre de experiencia, vivo constantemente en contacto con el dolor humano y conozco a mis enfermos. Tú también eres mi enferma, una enferma espiritual, llena de virtudes que no todos saben comprender y aquilatar. No te digo que vengas. No lo harás jamás mientras no venzas a tus rebeldes enemigos. Nos conocemos, Triz. Eres de un valor espiritual casi inconcebible en una mujer de hoy. Piensas con el corazón y el espíritu. Sigue tu ruta, Triz. Yo no puedo detenerte. Quizá no te detendría aunque pudiera, porque tu obra es meritoria para mí, y para todos los que te queremos. Pero dejando a un lado la parte espiritual de tu ser, hemos de hablar algo prosaico y, así, continúo. En vista de que la villa se halla a siete kilómetros y tu gusto sería pernoctar en ella e incluso comer, he llamado a todos los enfermeros del hospital, así como también a tus compañeras, y entre todos hemos decidido hacerte un regalo. Un regalo que recibirás convertido en una flamante *Vespa*, mañana a primera hora, en el autobús que recorre la línea de esa comarca. Espero que sea de tu agrado y que los vecinos no se asusten demasiado del modo de locomoción que usa la linda y joven maestra. Escribe mucho, Triz. Recuérdame constantemente y piensa que siempre estoy a tu lado, aunque el mundo nos separe.

»Luis.»

Permaneció mucho rato con la carta extendida ante sus ojos. Dos lágrimas resbalaban silenciosas y lentas por las mejillas, y la boca las absorbía sin rabia, más bien con placer.

Aquella simple carta que había estado horas enteras cerrada sobre la mesa, aquella carta que le inspiraba horror, había despertado en ella un hondo placer, una dulzura jamás experimentada hasta entonces.

Era un mensaje consolador que iba directamente a su corazón, envolviéndolo en un vaho de cariño y dulzura.

Además, le enviaban una *Vespa* para su recreo y para su uso personal. ¡Qué buenos eran todos y cómo la recordaban, aunque ella no mereciera aquel recuerdo!

Salía a la plaza minutos después, cuando un auto particular, un simple taxi, se detenía junto a la puerta del comercio. Observó que un Rafael radiante descendía presuroso y la miraba con expresión honda y muda.

—Hecha la autopsia del cadáver, se ha comprobado que sufría una fuerte afección cardíaca, de resultas de la cual murió ayer noche.

Los ojos de Triz se llenaron de lágrimas y aquellos mismos ojos se elevaron calladamente hacia el infinito.

—¡Gracias, Dios mío! —susurró quedamente. Después, como si reaccionara, miró al taxista, que se disponía a marchar, y preguntó:

—¿Va usted a la villa?

—Así es, señorita.

—Señorita Falcó —murmuró Rafael, como si no la comprendiera.

—Es preciso, señor Maturana —repuso ella, seria y fría, observando que muchos ojos los contemplaban desde la tienda—. Voy a instalarme en la villa esta misma noche.

—¿Y su escuela?

—Vendré todos los días y regresaré.

Rafael apretó los puños. Miró en torno como animal acorralado y al fin opuso con ahogado acento, un poco enronquecido:

—¿Cree que se pueden recorrer siete kilómetros todos los días dos veces?

Beatriz Falcó respiró hondo. Era muy doloroso separarse de aquel hombre. Apartarse de su vida quizá para siempre, puesto que la villa absorbería su existencia a partir de entonces y si no la absorbía, ella procuraría que se la absorbiera. Era preciso, absolutamente preciso si quería salvarse de aquel terrible naufragio moral en que se debatía.

—Mis amigos —dijo de un modo indefinible— han tenido la gentileza de obsequiarme con una *Vespa*. Creo que el trayecto me resultará, además de cómodo, entretenido.

Los brazos de Rafael quedaron inertes a lo largo del cuerpo. Ella le miró, apretó los labios, aquellos labios que él había besado desesperadamente en un momento de locura, y subió al taxi.

Rafael Maturana se dio cuenta en aquel instante de dos cosas horribles: que él pertenecía a una mujer, y que desconocía en absoluto la existencia que había llevado aquella muchacha en una capital importante.

Durante dos días, Beatriz no subió al pueblo. Un simple alguacil llegó desde la villa anunciando que la escuela se cerraba durante cuarenta y ocho horas, por causas ajenas a la voluntad de la maestra.

Rafael Maturana mudo y hosco, permanecía con la frente apoyada en el cristal de la puerta del comercio. Sus ojos ávidos se clavaban con obstinación en el lugar de la acera desde donde la había visto partir. «La perdí para siempre», se dijo en aquel instante, y ahora, muchas horas después, continuaba repitiéndolo. La había perdido, sí. Ignoraba quién se la quitaba, si la murmuración que pudiera sobrevenir si ella continuaba en su casa, el mismo amor que se tenían o la propia vida, que les separaba obstinadamente.

—¿Hoy igual?

Volvió lentamente la cabeza, y una extraña sonrisa distendió sus labios.

—Hoy como siempre, Paco —dijo frío—. Hoy como ayer y mañana, como hoy.

—Pensando en ella. ¿Acaso tienes derecho ni siquiera a pensar?

Los puños de Rafael se crisparon.

—¿Por qué no?

—Porque tienes una esposa y no te asiste derecho alguno a encadenar la vida de una mujer a tu propio infortunio. Por eso, Rafael. Ella es joven, tiene una hermosa vida por delante. ¿Qué puedes ofrecerle tú? ¿Acaso tu corazón? ¡Pobre corazón que ha sido destrozado hace muchos, muchos años…!

—¡Cállate!

—No debo callarme —exclamó tío Paco con intensidad—. Ni tú puedes mandarme callar, porque estoy hablando a tu corazón. No tienes derecho, Rafael. No lo tienes. Si fueras noble te apartarías de ella, ignórala, sé valiente al menos por una vez en tu vida. No lo has sido cuando Carmen se impuso. No supiste hacerla feliz porque la odiaste desde el primer instante, y sin embargo, pese a ese odio, te casaste con ella sabiendo lo que al fin había de suceder. No digas tampoco que tu madre te obligó. Ni que te faltaba experiencia. Todo hombre cuando cumple veinte años sabe muy bien lo que desea y adonde debe llegar. Nadie te arrastró… Fuiste tú que, dócil, te plegaste a los caprichos de tu propia madre. ¿Por qué no te opusiste cuando aún había tiempo? ¿Qué puedes tú hacer ahora? El amor… Sí —añadió con pesar—. El amor es muy bonito, lo sentirás palpitante y avasallador en tu corazón. Pero ya nada queda que hacer, amigo mío. Tú estás casado, tienes un hijo… Ella es soltera, es bonita y es joven, Rafael, demasiado joven para guardar oculto un amor que ni quizá existe en su corazón.

—¡Cállate, he dicho!

Paco arrugó la frente. Miró luego hacia la calle y de súbito murmuró:

—Mírala, ahí va. Ni siquiera ha mirado para aquí.

En efecto. Un *scooter* verde y brillante corría veloz atravesando la plaza y dirigiéndose después a la desembocadura que le conducía a la carretera. Eran las nueve en punto de la mañana y la joven vestía un falda de grueso paño, una zamarra de ante y calzaba fuertes zapatos de deporte. Llevaba un pañuelo a la cabeza y gafas negras sobre los ojos.

Rafael se lanzó como enloquecido a la calle, pero el *scooter* se alejaba cada vez más. En seguida los niños fueron desfilando.

—Debo seguirla —dijo Maturana—. He de hablarle.

Los dedos del hombre se clavaron en el brazo de su sobrino.

—No hagas locuras que puedan pesarte después. Tu presencia en la escuela daría motivo de crítica y… Beatriz Falcó es demasiado mujer y demasiado bonita y buena para merecer tanta maldad.

Entretanto, Beatriz dejó la moto en una esquina de la carretera, sacó el llavín del bolsillo y entró. Varios niños la seguían. Notó con horror que el llavín no había sido preciso para franquear la entrada, puesto que la puerta estaba entornada.

—¿Qué es esto, señorita Falcó?

—Lo ignoro —dijo con aspereza.

Otro niño exclamó:

—¿Y esto? Es la manta del mendigo que apareció muerto en la carretera.

—Y esto la mochila de tu papá, Raf —gritó otro niño.

Beatriz, pálida y temblorosa, pero haciendo inauditos esfuerzos para aparentar serenidad, lo apartó todo con el pie y susurró quedamente:

—Hemos de dar la lección de hoy y repasar algo de los días pasados. Todos a su sitio. Eso se le entregará al alguacil esta misma tarde.

¿Quién hizo el primer comentario? ¿Quién asoció la mochila y la manta a la vida de la maestra? ¡Quién lo supiera!

Los niños hicieron los comentarios al llegar al hogar. Las mujeres se reunieron en la plaza. La murmuración cundió como por arte de magia.

No obstante, el alguacil, tras recoger la manta, sonrió indiferente y murmuró:

—Tal vez saltó por una ventana, señorita Falcó.

Lo demás llegó solo, envuelto en un vaho sutil, casi impreciso, pero haciéndose espeso y doloroso a medida que las horas transcurrían.

Iba sobre el *scooter* camino de la villa, con los ojos llenos de lágrimas. Era el segundo día de haber reanudado la clase. No había vuelto a ver a Maturana ni deseo alguno tenía de verle, porque su corazón se había enfriado de un modo súbito, incomprensible si se tenía en cuenta la impresión recibida aquella noche... Sabía que ciertos comentarios cundían por el pueblo y se horrorizó sólo al pensar que un día Luis pudiera enterarse de todo aquello, que casi no tenía fundamento pero que, sin embargo, tenía visos de verosimilitud. ¿No había visto morir al enemigo? ¿No había estado en la escuela con Rafael Maturana? ¿No había regresado con él y no... la había besado?

—Beatriz...

La *Vespa* volaba por la carretera en dirección a la villa, pero a través del viento que azotaba su rostro, Triz sintió la voz y súbitamente la moto se detuvo. La figura de un hombre avanzó hacia ella, con las manos extendidas.

—¡Beatriz!

La joven le miró fijamente.

—Hace mucho que no te veo, Triz. Estoy medio enloquecido. Tú sabes que yo... que tú...

—No te preocupes, Rafael —susurró bajito—. En realidad, todo es mentira. ¿Qué importa que ellos me censuren, si jamás he cometido una falta que fuera contra mi base moral?

—Pero te lastiman, Triz. Sé que un día te lo demostrarán. ¡Tú no conoces a la gente de los pueblos!

«¡Oh sí! —pensó ella—. La conozco porque Luis Gil de Lecca me lo advirtió ya antes de haber venido.»

Pero no dijo nada en voz alta. Se limitó a encoger los hombros y susurró:

—Mientras pueda, seguiré, Rafael. Después… ¡quién sabe lo que puede suceder después!

—Yo te amo, Triz. Jamás he querido a una mujer como te quiero a ti, y saltaré por encima de todo para defenderte.

—No es preciso —exclamó ella, apretando convulsivamente el manillar de la moto—. Te ruego que seas un mudo espectador, si no quieres perjudicarme. Mi fortaleza de espíritu me ayudará a vencer y venceré. Ahora no me detengas. Se hace de noche y quiero llegar a la villa con la luz del día. Por otra parte, prefiero que no me vean a tu lado. Y demos gracias a Dios, porque no se les haya ocurrido decir que estuvimos presenciando la muerte del mendigo. Vete, Rafael. Te lo ruego. Es preciso que me olvides.

—¿Y tú?

Beatriz esbozó una triste sonrisa. ¿Ella qué? ¿Sabía acaso si le quería, si le había querido alguna vez? ¿Qué sucedía en su corazón para sentir aquel decaimiento, aquella horrible decepción?

—Tú tienes una esposa, Rafael —dijo fuerte—. He estado obsesionada, no puede ser de otro modo.

—¡Beatriz! —bramó él, desesperadamente—. Tengo una esposa, pero no la amo, tú lo sabes. Nunca la he querido. Tú eres y serás el primer amor de mi vida.

«Luis no te hubiera permitido oír estas cosas —pensó Triz con desaliento—. Me cree una mujer perfecta y soy como todas, ¡como todas!, ¡como todas!»

—Pero perteneces a otra mujer —dijo con voz grave—. No tienes derecho a detenerme, Rafael. Ni siquiera a confesarme tu cariño. Hay algo por donde yo no saltaré jamás, amigo mío. Mi propia estimación espiritual, que tiene para mí más valor que el propio amor que pudiera profesarte. Por eso te ruego encarecidamente que a partir de ahora me ignores. He estado ciega, ¿comprendes?

—¡Ciega! —repitió Maturana con patetismo—. ¡Bendita ceguera, que me llenó el corazón de esperanzas!

Beatriz sintió que su nerviosismo crecía. Puso en marcha el *scooter* y agitó la mano.

—He de marchar —susurró presurosa—. Si es que en realidad me quieres, como aseguras, déjame ir y no me detengas nunca.

Y la *Vespa* se alejó rauda, rasgando con su velocidad casi suicida el viento que agitaba las copas de los árboles que bordeaban la carretera.

Allí quedó Rafael con la tez muy pálida y los labios convulsos. Había una pena honda e intensa en sus ojos que parecía saltar de su corazón y estremecerle totalmente el cuerpo.

El crepúsculo iba poco a poco tiñendo de oscuro la lejanía.

Ocho

«Mi querido amigo: He recibido tu carta, que me llenó de satisfacción. Más tarde he recibido vuestro regalo que me llenó de ternura. Yo soy feliz, Luis. Voy y vengo en mi *scooter* y nadie me molesta… Tu aversión a los pueblos no se me ha contagiado. Los niños son encantadores, y muy cariñosos… El paisaje es delicioso. Me agrada el viento que azota mi rostro cuando regreso al atardecer, y la serenidad augusta de estos parajes. Es como si mi espíritu se ensanchara más y más y purificara todas las cuerdas sensibles de mi ser. Pero no hablemos de mí. Hagámoslo de ti, mi querido Luis. De tu trabajo consolador, de tus horas libres que pasarás siempre en la terraza del café esperando quizá que, de nuevo, llegue el instante en que has de entrar otra vez en tu jaula blanca perfumada de éter… Mentiría si dijera que no deseo verte. A todos en general, os apretaría emocionada contra mi corazón. ¡Pero qué lejos veo ese instante! Me gustaría que mis compañeras vinieran aquí a disfrutar de sus vacaciones. A ti no te pido nada, porque sé lo mucho que te cuesta alejarte de tus enfermos… Pero es que yo también soy tu enferma, mi querido

Luis… Me lo has dicho en una ocasión, y entonces encogí los hombros escéptica. Hoy es diferente… Me creo la mayor, la más necesitada de tus enfermos espirituales y nadie como tú para entrar en mi espíritu, hurgar en él y curarlo. No te canso más, Luis. En cierto modo aun sin proponérmelo me pongo tonta cuando me siento para escribirte. Es como si te tuviera a mi lado y charláramos largamente de muchas cosas. Jamás he tenido un amigo como tú, Luis. Tú lo sabes, ¿verdad? Nadie me ha comprendido como tú me comprendes, nadie me ha querido como tú me quieres. Tú sabes querer con abnegación, con la renuncia deliciosa de los hombres buenos. ¡Cuánto he tardado en darme cuenta de ello!»

Detuvo la pluma y elevó los ojos llenos de lágrimas. ¿Por qué le decía aquellas cosas a Luis? ¿Qué pensaría Luis de aquellas divagaciones? ¿Penetraría ciertamente en su corazón como había penetrado en otras muchas ocasiones?

Envió un saludo muy cariñoso y sin pensarlo más, la metió en el sobre. No variaba nada. No podría hacerlo, porque le sería de todo punto imposible escribir otra carta.

Ella misma fue a echarla al correo, y después vagó como una sonámbula en todas direcciones. La villa era bonita, cuidada y limpia. Había lindos cafés, hermosos edificios y la gente parecía desconocerse. ¡Qué diferente del pueblo mezquino y repugnante!

Los días transcurrieron lentos y monótonos. El frío había decrecido un tanto, y a Beatriz le era más liviano el recorrido que hacía dos veces diarias al pueblo. Siempre regresaba con aquella sensación de ahogo, de decepción. Era como si presintiese lo que iba a suceder. Algo flotaba en el ambiente del pueblo, algo que la rozaba, primero con suavidad, como si temiera tocarla, y después como si al rozarla y comprobar que no caía, insistieran con intensidad para derrumbarla estrepitosamente. Pero ya hemos dicho que Beatriz Falcó era fuerte de espíritu. Tal vez su fragilidad exterior no guardaba armonía con su fortaleza moral, pero lo cierto es que esta última soportaría quizá con mayor estoicismo lo que el cuerpo no podía soportar.

Aquella mañana, al pasar por la plaza alguien le silbó. No miró hacia atrás, continuó erguida y seria hacia la escuela. Y al llegar allí y penetrar en el edificio, sintió que el mundo se desmoronaba bajo sus pies.

—Uno, dos, tres... seis —murmuró—. ¿Dónde se hallan los otros niños?

Seis cabezas se inclinaron hacia el pecho.

—Rafael Maturana —musitó con velada voz—. Contesta tú. ¿Por qué no han venido? ¿Es que por casualidad todos se han puesto enfermos?

—Lo ignoro, señorita Triz.

Miró a otro de los muchachos, quizá el más descarado, porque éste sostuvo con valentía los ojos de la maestra en los suyos y murmuró:

—Sus madres no les dejan venir. Dicen que...

—Cállate —gimió Triz, con los ojos llenos de lágrimas—. Te he preguntado por qué no venían; si es que sus madres se lo prohíben, algún día sus propios hijos censurarán esa estúpida determinación materna. A estudiar. Sal al encerado, Raf, y tú, Ramón, coge el libro de Historia y dicta a tu compañero. En cuanto a los demás, espero que sepan la Religión que señalé ayer tarde. Todos a su sitio y cada uno que trabaje sin levantar la cabeza.

Al regreso eran las doce y media y cruzó con la *Vespa* como una exhalación. Pero aún pudo oír la voz agria de una matrona que llenaba el cántaro en la fuente:

—Seguro que esa bicicleta grande se la regaló uno de sus muchos amigos de la ciudad. ¡Bah! Estas maestras sin moral debieran de estar en un sitio que yo me sé. Al menos allí no estorbarían a nadie.

Los ojos se le llenaron de lágrimas. No, jamás querría ver delante de sus ojos la silueta de Rafael Maturana. Lo habían asociado a su vida sin tener motivos para ello. ¿Qué sucedería de seguir ella en su casa? ¿Qué pasaría si les vieran juntos todos los días? Se horrorizó y pensó… Sí, no pudo negarlo, aunque lo pretendiera; pensó en Luis, en sus ojos bondadosos llenos de cariño, en sus frases calladas que no precisaba pronunciar para que ella las comprendiera. Pensó también en los consejos recibidos antes de venir y más que en nada pensó en el pecho ancho y fuerte que la hubiera acogido dulcemente, consolando su amargura. Pero fuerte, valiente como ninguna otra mujer, Beatriz Falcó se mantuvo en su sitio, y a las dos en punto de la tarde la *Vespa* cruzaba de nuevo la plaza.

En la escuela había tres niños esperando. Uno de ellos, serio y mudo, con los ojos angustiados, era Raf Maturana. Pero esto no satisfizo a Beatriz, aunque no ignoraba que al menos siempre tendría un discípulo. Tal vez ello le causara mayor pesar.

No preguntó por qué no habían venido los otros tres. ¿Para qué? La respuesta hubiera sido tal vez la misma o más amplia quizá y ello podría redundar en su perjuicio.

Se hallaban enfrascados en el estudio cuando a las tres en punto se abrió la puerta. Tres mujeres ataviadas con el clásico traje del país, falda de vuelta larga hasta el tobillo, blusón de burdo paño y zuecos de madera, se perfilaron en la puerta de la clase.

Beatriz se puso rápidamente en pie. Parecía haber salido de una estampa de modas, con el cabello negro muy corto, casi azulado por los rayos débiles del sol que penetraban por la ventana y caían sobre su cabeza, la falda gris que siempre usaba y el jersey negro subido por delante y dejando ver un poco de la espalda ambarina.

Era bonita aquella mujer. Más que bonita sugestiva, seductora, con una seducción profunda, encantadora. Aquellos ojos rabiosamente azules, sombreados por las largas pestañas, un tanto melancólicos, daban a su faz una luminosidad extraordinaria.

—Buenas tardes —saludó, avanzando hacia ellas—. ¿En qué puedo servirlas?

—Venimos comisionadas por el pueblo en común, señorita maestra —dijo la más descarada—. Venimos también a recoger a nuestros hijos.

Beatriz hubo de cogerse a la madera del pupitre para no desplomarse. Nunca pensó que se atrevieran a tanto. ¿Por qué lo hacían? ¿Quién les guiaba?

—Perfectamente —admitió, adquiriendo de nuevo la serenidad que creyó perder en un instante—. No puedo retenerles, puesto que yo soy sólo la maestra y ustedes sus madres; pero al menos, se me permitirá hacer cierta objeción y al mismo tiempo inquirir el motivo por el cual han determinado suspender la educación de sus hijos.

La serenidad de la joven intimidó un tanto a las tres mujeres; pero una de ellas se inclinó hacia la que había hablado primero y le dijo al oído:

—Recuerda que Carmen Valero te aconsejó advertirle que estaba cursada una protesta a la autoridad superior para destituirla.

—Hemos determinado hacerlo así —exclamó la descarada—, porque usted no es la mujer adecuada para la educación de nuestros hijos.

—Me gustaría saber qué motivos…

La tercera de las mujeres saltó violentamente:

—Además de ser usted una mujer sin moral, tiene el descaro de protestar. Se ha cursado una protesta a la autoridad superior para que la destituyan. Y recuerde usted que será para usted más conveniente dimitir o presentar la renuncia a esta escuela que oponerse contra un pueblo entero, que puede elegir profesor a su gusto. Estamos hartos de maestras, señora mía.

—El hecho de que deseen elegir un profesor a su gusto —dijo bajito, pero con energía— no las autoriza a pisar la moral de una mujer intachable. Creo no haber cometido falta alguna, señoras. Creo haber encauzado la vida de sus hijos, creo haberles entregado todo mi cariño y mi ternura y espero, en bien de Dios nuestro Señor y de la Humanidad, se rectifique rápidamente.

La superioridad de la maestra, sus bellas palabras y el mismo acento armonioso de su voz, exento de alteraciones vibrantes, fuera de lugar, pareció anular el valor de las mujeres. Pero pronto se repusieron.

—De todos modos, a nosotras no nos queda rectificar por la sencilla razón que todos saben. Un mendigo apareció muerto en la carretera. Aquella misma noche usted se había ido de casa de los Valero. Al otro día, usted se hallaba descansando en casa de los Maturana. Díganos usted qué hacía la manta del muerto en el interior de la escuela y la mochila de Rafael Maturana llena de comida. ¿Acaso puede usted negar que Rafael la ama y que usted le corresponde?

Suspiró con fuerza.

—Todo eso es lamentablemente cierto —admitió ahogadamente—. Pero no lo es el hecho de que yo ame a Rafael. Tengo novio —mintió con aplomo—. Voy a casarme con él. Creo que ustedes mismas habrán oído hablar de Gil de Lecca, el eminente cirujano…

La mentira la dejó anonadada. Miró en todas direcciones, como si temiera que el rostro radiante de Luis apareciera en una esquina. Era estúpida, además, aquella explicación, que ellas no merecían. Pero ¿qué podía hacer una mujer indefensa, contra un pueblo ignorante y hostil?

—No hemos oído hablar de nadie —chilló una mujerona—. Si usted se halla prometida a un hombre, tanto peor, porque el delito es mayor aún. Usted estuvo en la escuela durante buenas horas de aquella noche con Rafael Maturana, y el pueblo quiere una mujer moral, no una cualquiera…

Beatriz se tapó los oídos con horror. De súbito, una figura infantil salió de detrás del pupitre y gritó desesperadamente:

—Eso no es cierto. Sois malas. Os ha enviado mi madre. Lo oí todo ayer noche, cuando os reunió en el comedor. Yo había ido a verla y me quedé en el vestíbulo porque ella hablaba y hablaba. Vosotras sabéis que es cierto…

Un sollozo estranguló la garganta del niño. Beatriz corrió hacia él y le apretó entre sus brazos.

Una risotada y después:

—Mirad cómo besa al hijo de su amante… Y que niegue después la evidencia de sus amores pecaminosos…

Nueve

No lo recibió. ¿Para qué?

Rafael rogó, suplicó… Todo inútil. La maestra se hallaba encerrada en su departamento del hotel de la villa y se negaba rotundamente a recibir a nadie.

Beatriz Falcó, con los ojos llenos de lágrimas y el pulso tembloroso, escribía una carta. Iba dirigida a Luis y estaba redactada en los siguientes términos:

«Nunca pensé que te necesitara tanto, mi querido amigo: tengo que confesarlo, Luis; esto es horrible, mucho más horrible de lo que tú suponías. Creo que van a destituirme. Es curioso, ¿verdad? A tu amiga, la amiga espiritual a la que tú le adjudicabas un valor extraordinario, casi inconcebible, va a ser despedida de este pueblo como si fuera… una cualquiera. Y lo peor de todo es que no ha existido más que una compasión infinita por mi parte hacia seres desgraciados e incomprendidos. Tal vez he cometido una falta, Luis. Soy impulsiva, tú lo sabes. Recuerda que me llamabas siempre tu apasionada, tu querida apasionada. No puedo remediarlo y ello fue el motivo de que cometiera un error, del cual recibo ahora las consecuencias…

No te escribo más, Luis; estoy… estoy muy agotada. Un saludo de tu amiga,

»TRIZ.»

Cerró la carta y se puso en pie. Tenía arrugada la falda gris, su clásica falda que amaba profundamente, porque con ella había iniciado su primer día de clase.

Se puso la gabardina y el gorro sobre la cabeza. Hacía frío de nuevo. Había nevado la noche anterior y las montañas estaban casi tan blancas como su tez.

Lo encontró en mitad de la calle. Observó en su semblante vestigios de una noche terrible de insomnio. Había círculos amoratados en torno a sus ojos, y la boca temblaba convulsivamente.

—¿Por qué has venido?

—Me necesitabas. He de hacer algo para contener la horrible determinación tomada por el pueblo.

Triz movió la cabeza de un lado a otro y distendió los labios en una débil sonrisa de sarcasmo.

—No puedes hacer nada, amigo mío. Ni tú ni nadie. Si no salgo airosa de este atropello, es que Dios no me perdona el que haya visto morir a un mendigo sin que mis labios se abrieran a la plegaria. Es quizá un justo castigo a mi pecado. Tú no, tú no debes hacer nada. No harás nada, porque yo te lo exijo. ¿Qué puede hacer un hombre que se halle ligado a una mujer, a la misma mujer que me está difamando? Nada —repitió con obstinación, al tiempo que apretaba ansiosamente la carta que llevaba en la mano.

—Me han dicho que estabas prometida a un hombre, Beatriz.

Los ojos de la joven relampaguearon.

—¿Y qué? ¿Acaso no puedo estarlo?

—Has dicho que me amabas a mí.

Beatriz encogió los hombros. ¿Sabía ella acaso lo que en realidad sentía?

—El egoísmo humano es terrible, amigo mío —dijo dando un paso hacia atrás—. Me pides cuentas de un posible compromiso matrimonial, y tú estás casado. ¿Crees acaso que voy a estar toda la vida supeditada a un amor que jamás podrá ser santificado…? Tengo derecho a la vida y al amor, y amo, amo profundamente, pero no a ti. Aquella noche me hallaba desesperada. Tú lo sabes. Sentí una piedad infinita hacia ti, hacia tu hijo, hacia tu vida… La sentí después de mí misma, cuando a solas conmigo medité. Me había dejado besar por un hombre cuando aquel hombre era de otra mujer. ¿Sabes lo que eso supone para una muchacha que jamás había sido besada por hombre alguno? Y me robaste lo mejor que yo tenía guardado para mi amor. Me lo has robado, Rafael. Por eso, te ruego, te exijo si es preciso, que me dejes sola con mi amargura o con mi placer.

—Beatriz, pero si es que yo te adoro.

—Una pobre razón para encadenarme —repuso ella con sarcasmo.

—Es la única razón de mi vida. La única de la cual puedo echar mano.

—Gracias, Rafael, por tu devoción; pero ahora yo no puedo permanecer un minuto más a tu lado. Tengo la vida bastante complicada para que tu presencia me la complique aún más.

—Pero me amas. No es cierto que ames a otro.

No, Beatriz no sabía si amaba a Luis, pero de lo que sí estaba segura era de no amar en forma alguna al hombre que había robado las primicias de sus labios.

Así pues, irguió el busto, miró de frente a su amigo y dijo:

—Te quiero como hubiera querido a todos los habitantes del pueblo si fueran buenos conmigo. Nada más, Rafael. Y he de añadir aún, que no seas cruel hasta el extremo de desear el amor de una mujer que es libre y tiene una vida por delante, que a tu lado se extinguiría.

Subió sobre la *Vespa* y, sin mirar hacia atrás, se alejó en dirección a la estación, donde pensaba depositar la carta que iba dirigida a Luis.

Cuando cruzaba por la plaza, a su regreso, vio que ésta se hallaba llena de gente. Gesticulaban y lloraban como si alguien les persiguiera. ¿Qué podía sucederles? Pensó en detenerse e inquirir noticias, pero luego decidió seguir, porque imaginaba, tal vez, una respuesta agria o insultante.

Lo supo tan pronto llegó a la villa. Un puñado de gente comentaban en el vestíbulo en voz baja y, al pasar ella, se volvieron solícitos.

—Señorita Falcó, ¿cuántos casos hay en el pueblo? Desde luego, sería preciso tomar una determinación severísima para que la epidemia no alcanzara a la villa, cosa que vemos imposible.

—¿Una epidemia? —preguntó, lívida por el terror—. Le advierto a usted, señor juez, que no oí absolutamente nada.

—Es lamentable, porque su presencia nos daría ahora una orientación. De todos modos, será preciso aislar el pueblo. Se trata del tifus, amiga mía.

Beatriz se dejó caer desmayadamente en la butaca, y una palidez mortal inundó sus facciones. El tifus en el pueblo; en un pueblo sin higiene, lleno de miseria... ¿Qué catástrofe se avecinaba?

—No puede salir nadie del pueblo excepto los médicos —dijo el alguacil—. No teman ustedes, que nadie va a morir. Esto es una medida de precaución para que la epidemia no pase a la villa, cosa que creemos imposible. Pero al menos hay que tomar medidas.

—¿Y nuestros hijos?

—Ténganlos en casa. Ha sido analizada el agua del río y parece ser que baja contaminada. Todos, absolutamente todos, han bebido esa agua. Así pues, ni uno quedará sin sufrir la enfermedad. Atrás todos —chilló, ya sin miramientos—. Nadie puede salir, excepto el médico y la enfermera, si es que llega a tiempo, porque se ha llamado al hospital y creo que no vendrán.

Una figura de mujer enfundada en la falda gris y el jersey negro, apareció en la plaza, gentil, bonita, con aquella paz de expresión tierna y bondadosa.

—Yo soy enfermera y me ocuparé de ellos. Hágaselo usted saber al médico. Supongo que acudirán algunos otros. Esto no es una simple epidemia. Es una horrorosa epidemia, amigas mías. Estoy al servicio del pueblo en cuerpo y alma, y espero que mi ayuda sirva para algo. Tengo la experiencia de cuatro años y la entrego a mis vecinos. Váyanse a sus hogares y manténganse en ellos hasta que yo pase por todas las casas a inyectar a los que todavía no han caído. Tal vez podamos hacer algo aún.

Muchos ojos gravitaron sobre aquel rostro ideal que pertenecía a la maestra. A la maestra cuya fama de mujer honrada habían pisoteado sin piedad alguna y, a cambio de lo cual, ella les devolvía una sonrisa alentadora y una frase amable que llegaba directamente al corazón.

Triz no esperó la respuesta. Dio media vuelta y entró en la casa, en cuyo corral estaba aparcado el *scooter*.

Un camastro lleno de trapos, entre los cuales se apreciaba el rostro rojo y sudoroso de una criatura. Una mesa llena de medicamentos, y un hombre anciano inclinado sobre el enfermito.

—Estoy a sus órdenes, doctor.

—¿Y usted por qué? No creo que una maestra me sirva de gran cosa.

—Soy además enfermera, doctor. El hombre se irguió rápidamente y apretó con sus dos manos las de la joven.

—¡Dios la bendiga, señorita! Si es usted enfermera me servirá de una ayuda indescriptible y de un gran consuelo espiritual. —Movió la cabeza—. No vaya usted a creer que van a ser muchos los médicos que acudan. Todos tienen sus ocupaciones, y yo soy el único responsable de estos enfermos, puesto que hace muchos años que pertenezco al servicio rural de este poblado.

Eran muchos los enfermos. ¡Oh, sí, demasiados para ser atendidos por dos médicos y una sola enfermera! Beatriz se hallaba de pie junto a la puerta de una casuca donde acababa de morir una niña de tres años, donde aún quedaban tres más debatiéndose con la muerte. Tal vez seguirían a su hermana un día después, dos horas quizá, menos aún…

Iba a dar la vuelta hacia el interior de la pobre vivienda, cuando sus ojos se clavaron en Rafael, que a su lado, la miraba hondamente.

—¿No puedo ayudarte en nada, Triz?

—Ve a guardar a tu hijo —repuso ella con amargura.

Los labios de Rafael se distendieron en una extraña sonrisa.

—Lo han llevado fuera. También querían llevarme a mí, pero yo no podía dejar esto... Puse el pretexto de vender medicamentos. Tío Paco se fue, y la criada... Se han ido todos... con el equipo sanitario.

Triz iba a responder, pero sus ojos fueron del rostro de Rafael a clavarse en un auto negro, de estilizada línea, que entraba raudo en la plaza. Aquel coche era inconfundible para Beatriz. Había ido en él muchas veces... Dio un salto felino, y como enloquecida, corrió hacia el encuentro del hombre elegantemente vestido que descendía presuroso. Los ojos de Rafael, casi ocultos bajo los párpados dolorosamente entornados, observaron calladamente la escena.

Observó al hombre, que vestía un traje azul, camisa muy blanca, sombrero gris y gabán del mismo color. Observó también cómo la frágil figura de Triz quedaba oculta entre aquellos brazos, y después...

Él rozaba los labios femeninos con un beso fugaz... Rafael dio la vuelta lentamente, rodeó el corral y se perdió en dirección al monte.

Allí, quedaba ella, aún apretada en los brazos del hombre; del hombre elegante, de mundo, que era quizá su prometido.

—¡Cuánto te necesitaba! —susurró Triz, mirándose en los ojos pardos, muy claros, de aquel hombre que la había amado profundamente.

—Por eso he venido —repuso Luis, acariciando la carita pálida—. Estás desmejorada, mi dulce Triz. Excesivamente desmejorada. Cuando volvamos a casa, voy a verme obligado a encerrarte un mes entero en la cama.

—Tienes que ayudarnos, Luis. Es horrible lo que aquí está sucediendo.

—A eso he venido, querida mía. Pensaba venir a verte tan pronto recibí tu carta. Pero luego leí en la prensa lo que sucedía aquí y anticipé el viaje. Creo que entre todos, conseguiremos disminuir las defunciones.

—En esta casa hay tres niños muy graves, cariño.

Del brazo penetraron en la casuca. Los tres enfermos, sudorosos y rojos por la fiebre que les consumía, se revolvían inquietos en el camastro. Luis no se inmutó ante aquel cuadro. Parecía estar habituado a cuadros parecidos pues, tras saludar a la madre de Ramón, se inclinó sobre éste y le miró con fijeza.

—Hemos de hacer algo, querida —dijo sin moverse—. Este muchacho se halla pisando el umbral de la muerte.

—Sálvelo, señor —pidió la mujer con un gemido.

Luis, sin moverse aún, repuso:

—Pídale usted al Señor, amiga mía. Es lo mejor.

Luego se quitó el gabán, lo tiró sobre una silla junto con el sombrero y más tarde se despojó de la americana. Arremangó las mangas del jersey de punto y miró a Triz.

—Hemos de actuar rápidamente, Triz. Ve a llamar al doctor. Es un muchacho de diez años y supongo que no habrá por ahí otro tan grave. Al volver, recoge mi maletín en el auto y di al chófer que nos espere, pues a la una iremos a comer al hotel.

La lucha fue tenaz. No hubo comida en el hotel ni regresó a la villa en tres largos días. No obstante, gracias a los esfuerzos realizados, se notaba cierta tendencia a decaer la intensidad de la epidemia, que por unos días asoló el poblado.

Aquella noche, cuando Ramón ya se hallaba fuera de peligro, ambos amigos salieron al corral. Era de noche. Hacía mucho frío, y el auto permanecía aparcado en la plaza. El chófer había sido enviado a la villa, y allí esperaba órdenes de su amo. Luis, con el traje arrugado, el jersey aún arremangado hasta el codo y las facciones un tanto dilatadas por el cansancio, miró a Triz y sonrió.

—Hemos realizado una gran obra, amiguita. Espero que esto les sirva de lección a tus... vecinos.

—Yo no lo hago por darles una lección, Luis.

La cogió del brazo y se dirigieron al vehículo.

—Vas a coger frío, Luis.

—¿Frío? Lo hace endemoniado, pero creo que no le he sentido ni un instante...

—Hasta éste.

—Sí, quizá ahora siento un poco.

—¿Quieres que vuelva a buscar tu americana?

Él la miró rápido.

—¿Por qué habías de ir tú, Triz? No, querida mía; si tuviera frío iría yo a buscarla, pero encenderé la calefacción del auto.

—¿Ignoras acaso que no funciona parado?

—Bueno —rió Luis, apretando la mano femenina—. Siempre has sido una muchacha previsora. Pero no necesito la chaqueta. En el auto no hará frío.

Eran las dos de una noche apacible y serena. No se movía la hoja de un árbol, pero el frío penetrante que bajaba de las montañas era extraordinario.

Se acomodaron uno junto al otro en el asiento de atrás, y Luis cogió las manos femeninas entre las suyas con aquel ademán tan suyo que la había cautivado más de una vez.

—Bueno —rió él, feliz—. Estamos al fin juntos, después de un montón de días que permanecimos uno al lado del otro y no pudimos cambiar ni una palabra. Pero, Triz, me hablas de frío y resulta que tú vistes tu clásica faldita gris y el jersey negro. ¿Acaso no tienes frío?

—Un poco.

—Ven. Te voy a envolver en mis brazos y no lo tendrás.

Lo hacía con naturalidad, como si en vez de un hombre extraño para ella, fuera su propio hermano. Luis no era extraño en el sentido exacto de la palabra, pero para los efectos lo era ciertamente. Mas, como su ademán no llevaba en sí vestigio alguno pecaminoso, a Triz no se le ocurrió pensar que aquel gesto carecía de lógica si se tenía en cuenta que él era un hombre y ella una mujer.

—¿Estás mejor?

—Sí.

—Ahora cuéntame algo de tu vida aquí. No has sido feliz, ¿verdad? Sí, no lo has sido. Lo sé por la carta que me escribiste la primera vez, y luego por la que me enviaste hace unos días.

Triz sintió que a su pesar se estremecía, recordando a Rafael Maturana. ¿Qué diría Luis si supiera que aquel hombre atormentado la había besado? A Luis podía decírselo todo. ¿Por qué no confesarlo?

Se apretó instintivamente contra el ancho cuerpo. Los brazos de Luis rodeaban su cintura, y sintió el calor dulcísimo de aquellas manos en la espalda. Su cabeza llegaba justamente al cuello masculino, y Triz, para mirarlo a los ojos, hubo de incorporarse un tanto y rozar con sus labios la boca masculina. Fue un ademán natural, pero Triz sintió algo parecido a la electricidad que sacudió el cuerpo de su compañero.

—Tienes frío, cariño…

Luis hizo un esfuerzo. Sus brazos se aflojaron. Apartó un poco la cabeza y miró a Triz con ternura.

—Eres una criatura, Triz. Una deliciosa criatura.

—¿Por qué lo dices?

—Si no lo comprendes tú, ¿cómo quieres que te lo explique yo? Es maravilloso que la inocencia de una mujer duerma eternamente, y me pregunto cómo es posible que haya hombres tan infames que se atrevan a romper lo más bello que guarda la mujer en su espíritu.

—¡Oh, Luis! —exclamó ella, apartándose súbitamente—. ¿Seguirías pensando eso de mí si supieras que me había besado un hombre? Y me ha besado, ¿sabes? Me ha besado en la boca porque me amaba.

Calló atragantada y pesarosa; pero las palabras, como las piedras cuando se tiran, no se pueden recoger, puesto que el golpe estaba dado.

La oscuridad era profunda en el interior del auto. Por eso tal vez, Triz no pudo observar la sonrisa casi infantil que entreabrió los labios masculinos.

—¿De veras? ¿Y qué sensación has sentido, apasionada mía?

—No pensé en ello, Luis. ¿Es que no te decepciona que tu apasionada haya sido besada?

Luis la atrajo de nuevo hacia sí y la apretó dulcemente.

—Triz, repito que eres una criatura ingenua y que me siento orgulloso de ti. No me enojo. ¿Por qué podía enojarme? ¿Hay una cosa más bella que el beso de unos labios puros? ¿Has besado, Triz, o te han besado?

—Pues… no lo sé.

—¿Lo ves? No hubo pecado. Cuando dos personas se quieren, lo más lógico es que se besen. El pecado está en dos que se besan y no se aman.

—Es que yo no le amo, Luis.

Fue tan rotunda e ingenua la exclamación, que Luis se vio precisado a morderse los labios para no soltar la carcajada.

—Mi querida apasionada, no le amas, te diste cuenta de ello después. Tal vez en seguida de haberle besado… Pero cuando él te besó, tú sentiste que le querías. Dime, ¿y es Rafael Maturana tu hombre espiritual?

Triz se desprendió con rapidez, casi bruscamente, y miró con fijeza el rostro sonriente del doctor.

—¡Luis!

—Estudié varios años de Psicología, pequeña. Por otra parte, la experiencia enseña mucho y yo soy un hombre experimentado. Ya no soy un chiquillo, Triz. He cumplido los treinta y tres años…

El médico titular asomó la cabeza por la ventanilla.

—Es preciso que venga, señor Gil. Hasta ahora hemos atendido a niños, pero resulta que esta noche se ha puesto enferma una mujer.

Diez

Carmen Valero tenía los ojos obstinadamente clavados en la faz un tanto pálida de Triz. Las manos de la enferma se hallaban cruzadas sobre el pecho, y de vez en cuando las agitaba como si pretendiera lanzarlas adelante y aprisionar algo que no estaba a su alcance.

—Creo que te llama a ti, Triz —murmuró Luis con naturalidad.

—¿Y por qué había de llamarme a mí?

—Pues la llama —intervino el médico titular, con cierta ternura que extrañó a Luis.

¿Por qué los ojos del anciano médico miraban a Triz de aquella forma entre admirativos y dulcísimos? ¿Y por qué aquella mujer que se debatía con la muerte, de cuyas garras había tratado de arrebatarle durante seis largos días, sin haber conseguido nada positivo, miraba a Triz con expresión suplicante? Extrañado por la actitud callada de todos los allí reunidos, Luis se aproximó, inclinándose hacia la moribunda.

—¿Qué desea usted, amiga mía? —preguntó dulcemente—. Estamos aquí para ayudarla. No se aflija usted, que todo pasará.

—Que ella me perdone —susurró Carmen con un hilo de voz—. Yo sabía que él la amaba… Y yo le quería… Le quise siempre, pero no supe comprenderle… Y mi hijo…

Luis, sin moverse ladeó un poco la cabeza y clavó los ojos escrutadores en la faz de Beatriz…

—Se refiere a ti, querida…

La joven avanzó temblorosa hacia la cama y apretó entre las suyas las manos de Carmen.

—Todo ha pasado, señora. No tengo nada que perdonarle…

—¡Oh, sí! —suspiró Carmen—. Yo he tenido la culpa. Siempre sentí celos… y al verla a usted… ¡Dios mío!, perdóneme usted…

Cerró los ojos. Quedó sumida en un profundo letargo. Beatriz la contempló por espacio de unos minutos, y después, súbitamente, cogió la mano de Luis y lo arrastró tras ella fuera de la estancia.

—Estás muy pálida, Triz. ¿Qué significan las palabras de esa mujer?

—Esa mujer, Luis —dijo Triz con intensidad—, es la esposa de Rafael Maturana. Por esa razón, yo te suplico que la salves. ¡Dios mío, si ella muriera…!

Por primera vez, las manos de Luis temblaron de impotencia al clavarse en las carnes de su compañera. Y aquellos ojos serenos, siempre apacibles, hurgaron con insistencia en la mirada de la joven que, valiente, sostuvo la mirada escrutadora y tenaz.

—Dime la verdad, Triz —inquirió Luis con acento bronco—. ¿Es que al analizarte me he equivocado, y amas a ese hombre? Dime la verdad, Triz. Jamás entre nosotros ha existido una duda: fui tu amigo del alma y soy tu amigo, lo seré hasta la muerte aunque busques el placer del amor en otro hombre.

—¿Qué quieres que diga? —preguntó con un hilo de voz sin apartar sus ojos de aquellos ojos que jamás la habían atraído como ahora—. No tengo nada que añadir, Luis. No amo a Rafael Maturana.

—¿Qué hubo entre los dos, Triz?

Intentó retroceder, pero las manos de Luis cayeron súbitamente sobre los hombros femeninos.

—Dime, Triz. Creo que tengo derecho a saberlo.

—Tú sabes que me han difamado —susurró Triz, pegada su cara a la lana del jersey masculino—. Yo sabía que había sido ella, su mujer… Dijeron cosas horribles y decidieron formular una protesta para destituirme… Era todo como tú me habías dicho, Luis —añadió sofocada—. Yo no cometí más delito que compadecer a un hombre desgraciado. No han sabido comprenderme, pero tú… tú sí me comprendes, ¿verdad, Luis?

El doctor la contempló durante breves minutos con una mirada larga, indefinible, y después la soltó.

—Yo sí te comprendo, Triz. Creo que si sigues mi consejo acertarás. Vuelve a tu puesto, allá en el hospital. Esto… ya sabía que no era para ti. Deja el problema de Rafael Maturana en su lugar, y que el destino lo ventile por su cuenta. Tu vida es demasiado hermosa para… para consumirse en un pueblo incomprensible y cruel.

Quedaba algún caso aislado, pero exento de peligro. Poco a poco la vida se normalizaba. Carmen Valero no había muerto. ¿La ciencia del doctor Gil de Lecca, las súplicas de Beatriz o la naturaleza vigorosa de aquella mujer que tenía siempre aspecto de enferma y sólo había sufrido aquella enfermedad? Nadie lo supo; lo cierto fue que Carmen Valero mejoró notablemente en los primeros días, y más tarde los médicos la dieron de alta, siendo para Beatriz un alivio extraordinario.

—Señorita Falcó —dijo el alcalde, tomando la palabra—, nos hemos reunido con el solo y exclusivo objeto de hacerle saber que estamos muy satisfechos de usted, muy agradecidos por los auxilios prestados y esperando se quede usted a nuestro lado; los vecinos de este pueblo le ruegan encarecidamente admita sus disculpas y perdone sus calumnias.

—Agradezco mucho la reparación que sin duda merecía —dijo ahogadamente—. Creo haber hecho todo lo posible por llegar al corazón de mis vecinos. Hice lo que pude con los niños; más tarde, cuando la epidemia asoló el poblado, me multipliqué para hallarme en todo aquel lugar que se me necesitaba. Pero quiero advertirles que no lo hice para recibir esta recompensa. En el fondo de todos los corazones sabían que su maestra jamás cometió acto alguno del que tuviera que arrepentirse después. Por eso no admito disculpa alguna, puesto que nadie tiene que disculparse. En mi futuro recordaré siempre con cariño al poblado y sus habitantes. Pero lo cierto es que no puedo ni debo quedarme aquí. Por eso, rogándole me perdone por la determinación tomada sin su concurso, señor alcalde, regreso de nuevo a mi tierra y espero que la nueva maestra sea respetada y querida en su pueblo.

Hubo un murmullo de protesta. Triz miró con avidez la faz un tanto pálida de Luis; pero éste, como si lo hiciera deliberadamente, fumaba afanoso, sin mirarla.

Rafael Maturana avanzó un paso. Tenía el rostro lívido y los ojos brillantes. Iba hacia ella, pero una mano infantil apretó la suya, y la voz de su hijo susurró bajito:

—Papá, la señorita Triz se va con su prometido, ¿verdad? Es aquel que se halla fumando cerca del auto…

Los brazos de Rafael cayeron a lo largo del cuerpo, y una triste sonrisa de pesar distendió sus labios.

—El pueblo le suplica que se quede usted, señorita Falcó —exclamó el alcalde.

—Muy agradecida, señor; pero mi determinación está tomada. Realmente no marcho por falta de cariño al pueblo. Ni siquiera por temor a que de nuevo la infamia se ensañe en mí. Lo hago porque mi felicidad se halla en otra parte y tengo derecho a ella, ¿no es cierto?

Verdad es que Triz ignoraba qué felicidad era aquélla, ni si realmente se hallaba en otra parte como aseguraba, pero sí estaba segura de que por nada del mundo se quedaría allí para empezar de nuevo.

Ignoraba también a qué se debía aquella determinación; mas lo cierto es que estaba dispuesta a marchar y lo haría por encima de todo y de todos.

Fue hacia los niños y los besó uno a uno. Cuando llegó a Raf Maturana lo apretó en sus brazos y susurró:

—Te recordaré siempre, siempre, mi pequeño Raf.

Elevó los ojos y los clavó fugazmente en la mirada extraviada de Rafael.

—Desearía hablar con usted antes de marchar, señor Maturana —dijo quedamente.

Sólo quedaban dos o tres mujeres en la plaza. El alcalde había subido a su coche, y Luis permanecía aún apoyado en la portezuela del suyo. Junto a la fuente estaban Rafael y Triz. Él parecía anonadado; ella dulcísima, hablaba suavemente, apretando una mano del hombre, una mano que caía inerte, desmayada y fría a lo largo del cuerpo masculino.

Luis continuaba fumando. Se diría que jamás había amado a aquella muchacha y que esperaba sencillamente a que su compañera terminara el coloquio con su enamorado.

—Lo siento mucho, Rafael —susurraba Triz dulcemente—. Tu vida está aquí, la mía se halla lejos. No sé si voy al encuentro de la felicidad o no; pero lo que sí sé es que voy a su encuentro.

—Ese hombre es tu novio, ¿verdad?

—No hablemos de mí —rogó, cansada—. Hablemos de tu mujer. Reúnete con ella, Rafael. Carmen te ama.

—¿Te has vuelto loca? —preguntó Rafael, estremeciéndose—. Yo nunca podré vivir con Carmen. Ella no me ha comprendido nunca. Ni tú tampoco; nadie me comprende, Triz.

Aprisionó súbitamente las manos femeninas y la miró a los ojos.

—Triz, me has dicho que me amabas.

—Estaba obcecada, Rafael. Tú lo sabes. Aquella noche me hubiera muerto de terror si continúo un minuto más en la escuela. Además… aunque en aquel instante lo hubiese creído, medité mucho después. Creo que te lo advertí. Estaba enloquecida. Es mi disculpa. Si te hice algún daño, perdóname…

—¡Dios mío! —musitó Rafael, en un contenido suspiro. No me has hecho daño alguno, Triz. Me has hecho el inmenso bien de hacerme conocer el verdadero amor.

—Por ese mismo amor que dices tenerme, ve a buscar a tu esposa y forma un hogar tranquilo y dichoso. Te lo ruego, Rafael. Ve a su lado. Estuvo muy enferma, casi muriendo… Ha reparado la culpa que cometió conmigo y ha comprendido muchas cosas que antes no comprendía. Tu vida es ésta. Mi vida es aquélla…

—Amas a ese hombre —rugió Rafael, fuera de sí.

—Y si lo amara, ¿qué, Rafael? ¿Acaso tienes tú derecho a prohibírmelo?

El hombre abatió la cabeza.

—Perdona de nuevo, Triz. Soy un insensato. Creí que un patán como yo tenía derecho a disfrutar de una mujer exquisita como tú y de nuevo me he equivocado. ¡Dios mío, qué solo voy a quedar cuando marches! Siempre he pensado que este poblado era horrible y vegeté en él como un infeliz… Ahora, cuando tú marches, lo odiaré siempre, siempre… Vete, si es que has de marchar, Triz. Ve a buscar la felicidad y Dios quiera que la encuentres.

Se alejó rápido, muy pálido, muy tembloroso.

Triz permaneció durante breves minutos en el mismo lugar, y después, muy lentamente, dio la vuelta.

Junto al auto estaba Luis y a dos pasos la madre de Ramón y otra mujer, las mismas que habían ido a la escuela a insultarla.

—Hemos de pedirle perdón, señorita Falcó —dijo la madre de Ramón, cuando la joven llegaba cerca de Luis—. En realidad nunca sentimos lo que dijimos aquella tarde. Usted lo sabe.

—No se preocupen —murmuró Triz, con ademán cansado—. Todo ha pasado. Sean un poco más caritativas con la maestra que venga a sustituirme y envíen a los niños a la escuela.

—Señor —dijo la otra, mirando a Luis—, tiene usted una prometida muy angelical. Dios los haga muy felices.

Luis parpadeó. La madre de Ramón se apresuró a decir:

—Cuando aquella tarde fuimos a insultar a la señorita, ella nos dijo que se hallaba prometida a usted. En aquel entonces ignorábamos que habíamos de conocernos en circunstancias tan tristes. Ahora que se van, tal vez para casarse, el pueblo entero les desea un millón de felicidades. ¡Dios mío, sí! La señorita Triz lo merece todo y usted, señor, que tanto hizo por nuestros hijos.

Jamás Beatriz se había sentido tan nerviosa como en aquel instante. Luis la miraba profundamente, de una forma rara, como si quisiera leer en el corazón de aquella muchacha, que decía tantas y tan dolorosas mentiras.

Besó a las dos mujeres y, precipitadamente, se introdujo en el auto.

Luego agitó la mano, y cuando Luis se dejó caer a su lado, miró por última vez la tienda, en cuya puerta quedaba un Rafael lívido y triste; la fuente, la plaza, donde muchos rostros la despedían con cariño. El chófer soltó los frenos, y el auto se deslizó lentamente carretera abajo.

Hubo un largo silencio que al fin rompió Luis para comentar humorísticamente:

—Has ganado la partida, apasionada mía.

—¿Te refieres…?

—A tu salida triunfal del poblado. Cuando llegaste lloraron de rabia y ahora lloran de pena. Eso es el egoísmo humano. Antes no te necesitaban o creían no necesitarte, y ahora les pareces indispensable.

—Eres cruel al juzgarlos.

—¡Oh, no…! Creo haberte dicho antes de salir hacia aquí, lo que era un pueblo. Estabas advertida, querida mía…

—No hablemos más de ello.

Luis se volvió hacia ella y buscó las manitas heladas, que apretó cálidamente entre las suyas.

—Estás temblando, querida. ¿Acaso sientes pena? ¿Por qué has venido, si te horroriza la idea de dejarlos?

—Hablas como si estuvieras seguro de la determinación que había de tomar.

—Sí, lo sabía. ¿Por qué voy a negarlo?

—Y si lo sabías, ¿quién te lo dijo, si yo misma lo ignoraba?

—Escucha, Triz. Siempre hemos sido francos uno con el otro, ¿no es cierto? Jamás hubo un secreto entre los dos. Pues bien, ahora voy a continuar siéndolo para decirte que, antes de que el alcalde llegara a la plaza, sabía que tú jamás consentirías en quedar encerrada en ese pueblo. ¿Quién me lo ha dicho? ¡Bah! Te conozco lo suficiente.. Eso es todo, Triz. Tú tienes que volver a tu hospital, a tus enfermos. He observado cuidadosamente tu semblante cuando te inclinabas hacia un enfermito. Tienes vocación, Triz. La escuela… era un pretexto para salir de la ciudad. Tú necesitabas salir. ¿Por qué?

—¡Qué visionario eres, cariño!

—Posiblemente. —Miró al chófer y añadió—: No es preciso que entre usted en la villa, amigo mío. El equipaje de la señorita ha sido facturado ayer. Continúe usted viaje hasta la capital.

Beatriz rescató sus manos y se volvió hacia él, casi con brusquedad:

—¿Por qué? ¿Por qué lo has hecho, si yo ignoraba lo que había de hacer casi hasta el instante en que lo he hecho?

—Te conozco mejor que tú misma, Triz.

Iba a enfadarse pero la sonrisa de aquellos ojos claros tan queridos, ahuyentó su pesar y fue ella quien apretó las manos masculinas, apretándolas convulsivamente.

—¡Oh, Luis, creo que nunca me puedo enfadar contigo! ¡No sé lo que tienen tus ojos que me desarman!

—Cariño —repuso él, inmutable.

Once

Las sombras de la noche envolvían la carretera. Hacía un frío intensísimo, y la lluvia azotaba los cristales del auto con ira destructora.

Luis corrió las cortinas y quedaron aislados. Después extendió los brazos y la apretó contra su cuerpo.

—Estás muerta de frío —dijo a guisa de disculpa—. Y tienes sueño. ¿Por qué no duermes un poquito? Yo velaré.

Luis la cubrió con el gabán, y luego, muy lentamente, Triz, dominada por el sueño y la fatiga, alargó los brazos y cercó con ellos la cintura de Luis. Se arrebujó contra él.

—Es cierto que tengo frío —musitó—. ¿Te importa que me quede así?

—¡Qué tonta eres! Claro que no.

—Pues háblame, cariño —pidió Triz, ingenuamente—. Háblame de tus cosas; ya sabes que me encanta oírte. También puedes darme algunos consejos, si te parece.

—¡Qué niña eres! Tengo poco de qué hablar, Triz. ¿De mí? Un tema estúpido. ¿De ti?

—No, no; de ti.

Elevó los ojos para hacer más patente la petición y encontró los ojos de Luis clavados en los suyos. Era una mirada un poco más brillante de lo habitual. Tenía los labios cerca de ella, y por primera vez Triz admiró el trazo firme de aquella boca que, sensual, parecía anhelar algo.

—Si no me miras, te hablaré de mí —dijo Luis un tanto nervioso.

—¿Por qué no he de mirarte?

—Tus ojos, Triz…

—¿Qué tienen?

—Quizá magnetismo.

—A veces no sé cuándo hablas en serio.

—Sería preferible no hablar nunca.

Ella se apartó.

—¿Es que te molesto, Luis? Parece que estás enfadado conmigo.

El médico apretó los labios. ¿De qué madera estaba hecha Triz? Él tenía una voluntad poderosa, pero, vamos, Triz se la estaba tragando, aunque no se lo propusiera.

—Te voy a preparar los almohadones, Triz, para que descanses mejor. Yo tengo deseos de fumar y contigo tan cerca, temo quemarte con el cigarrillo.

Bruscamente, la apartó y le ayudó a tenderse en el mullido asiento. Puso dos almohadones bajo la cabeza femenina, y el gabán cubriéndole el cuerpo.

—Ahora duerme, Triz.

—¿Es que no me vas a hablar de ti?

—Lo haré y te dormirás como una niña. Veamos, Triz. Puedo decirte de mí…

—Dame una mano, dormiré mejor.

Se estaba comportando como una mujer enamorada, y no lo estaba, ¡oh, no!, Luis sabía que no lo estaba. Al menos, Triz no lo sabía y él… nunca podría despertar en el corazón de Triz malicia alguna. Aquella mujer ingenua y bonita que creía a los hombres de hierro… tenía que continuar creyéndolo hasta que se diera cuenta de que los prefería de carne.

Alargó la mano y apretó desesperadamente los dedos de Triz, que luego llevó a la boca y besó uno por uno. Impulsivo, sin poder contenerse, posó la boca en la muñeca palpitante, cerca de la correa del reloj.

—Duerme —dijo Luis, con los dientes juntos—. Dentro de dos horas llegaremos a casa.

Se incorporó de nuevo y se sentó a su lado. Con sus dos manos, cogió el brazo de Luis y lo apretó.

—¿Estás enfadado conmigo, Luis?

—No, Triz. Tal vez estoy enfadado conmigo mismo. Tengo mucho sueño y estoy cansado —añadió nervioso—. Te ruego que me disculpes, apasionada mía, pero lo cierto es que voy a cerrar los ojos y apoyar un poco la cabeza en el respaldo. Nunca me sentí tan cansado como en este instante.

Cerró los ojos, en efecto; Triz lo contempló detenidamente, inclinada hacia él, y de súbito susurró:

—Estoy muy contenta de haber salido de allí, Luis. Volveré a trabajar en el hospital y tú me irás a buscar a la pensión para salir todos los días. ¿Lo harás?

Era tan tenue aquella voz, la sintió tan cerca de el, que al abrir los ojos de nuevo para mirarla y tratar de incorporarse, sus labios quedaron apretados en los de Triz, cuya cabeza se retiró rápidamente, como si la impulsara una descarga eléctrica.

—Perdona —pidió él, como quien no siente absolutamente sensación alguna.

«¡Dios santo, a qué extremo de imbecilidad he llegado con esta mujer por temor a una nueva negativa!», se dijo Luis, apretando los labios que aún sabían a los de ella.

Triz lo miraba fijamente, sin abrir los labios. ¿Qué pensaba Triz? ¿Acaso recordaba el beso de otro hombre? No, Triz no pensaba en Rafael. Jamás volvería a pensar en Rafael. Había algo más, algo que acababa de hallar en los labios de Luis. Algo intangible que había inundado su ser de una dulzura nunca sospechada.

—No tuvo importancia —dijo con un hilo de voz—. He tenido yo la culpa.

Y esta vez, se tendió en el diván sin volver a despegar los labios, como si temiera destrozar el recuerdo de aquel momento fugaz.

—Me hizo mucha gracia que aquellas mujeres nos creyeran prometidos. La verdad es que…

La cabeza de Triz se volvió en redondo.

Ya estaba instalada en la ciudad. Ya volvía a trabajar en el hospital, ya salía con ella como antiguamente. Ahora mismo, después de las ocho, cuando ella dejaba el hospital y él acudía a buscarla, iban caminando muy cogidos del brazo por la alameda que bordeaba el mar. Era una noche cálida y apacible. Él vestía un gabán oscuro y llevaba el paraguas en la mano. Ella, un abrigo muy bonito, beige, y zapatos de altos tacones.

—¿Por qué recuerdas ahora eso?

—¡Bah! Lo he recordado muchas veces, querida mía. Me hizo gracia tu patraña. ¿Qué objeto tenía? Triz se apretó contra él instintivamente.

—Tal vez porque lo deseaba —dijo seria—. O bien porque así me libraba en cierto modo de los comentarios poco agradables que se hacían en torno a mi persona.

—Una explicación poco clara.

—Vamos a bailar un rato —propuso bruscamente—. Olvidemos cosas pasadas de moda.

—Como desees.

Instantes después se hallaban mezclados con muchas otras parejas que bailaban al son de la orquesta en un local elegante.

—Eres muy bonita, Triz.

—Me lo has dicho infinidad de veces.

—¿Y otros hombres?

Triz le hurtó los ojos.

—También —admitió con leve acento de tristeza.

Los brazos de él la apretaron con mayor intensidad. Era un abrazo disimulado, que a su pesar estremeció el cuerpo de la muchacha. Sentía la mejilla de Luis en su cabeza y los dedos acariciantes en el talle.

«Es absurda esta actitud en nosotros —pensó Triz angustiada—. Luis me lleva en sus brazos como si realmente me amara y, sin embargo... no ha vuelto a decirme nada sobre el posible amor que un día dijo sentir hacia mí.»

—No han mentido, Triz —susurró Luis, cerca de su oído—. Eres una muchacha muy bonita. El otro día me hablaste de cómo amarías a tu marido en el caso de que al fin lo hallaras. ¿Por qué no continúas ahora?

Elevó rápidamente la cabeza. Los ojos de Luis eran claros, profundos, de mirada poderosa, como si el mundo y los seres le pertenecieran... ¿Por qué no se había dado cuenta hasta entonces?

—¿Aquí?

—¿Por qué no? Se habla mejor cuando no se mira al que nos escucha. ¿Por qué no sueñas, Triz, en voz baja, sólo para mí?

—¡Qué tonto eres, ca…!

Se mordió los labios. Antes, cuando ignoraba el amor que experimentaba hacia él, la frase salía sola de sus labios, no era preciso empujarla. Ahora… Lo amaba de verdad, intensamente, como había soñado infinidad de veces cuando, a solas consigo misma, pensaba en un posible marido y, no obstante…

—Termina, apasionada mía.

La orquesta hizo un alto y ella lo aprovechó para desprenderse de sus brazos. Miró el reloj.

—Es muy tarde, Luis. Las muchachas me estarán esperando para cenar, y la patrona se enoja cuando alguna se retrasa.

—¿Por qué tienes prisa y otros días no te preocupas?

Le hurtó los ojos nerviosamente. Se cogió de su brazo y, zalamera, robándole el brillo seductor de su mirada, lo arrastró hacia ella, yendo de nuevo a la calle.

Una bocanada de aire dio de lleno en su rostro. Evidentemente el corazón de Triz había despertado al fin. ¿Y qué hacía Luis, tan psicólogo, que no leía en los ojos de aquella muchacha, cuyo corazón se asomaba a ellos en transportes de una ternura sugestiva, enloquecedora?

«Luis espera que yo se lo diga —pensó desalentada—. ¡Dios mío! ¿Cómo voy a tener valor para decirle una cosa que ignoro cómo ha de ser acogida?»

—Vamos, cariño —dijo él, buscando sus ojos en la noche—, cógete de mi brazo. Pon tu manita aquí. Así. Ahora colocaré la mía encima y caminaremos poco a poco hasta la fonda. —Sin transición añadió—: Dime, Triz,

¿no te resulta monótona la vida, siempre igual, de la pensión? Todos los días verás los mismos rostros, el mismo mantel, los mismos cubiertos. Oirás siempre las mismas conversaciones…

—Si un día he de casarme, querido, es casi seguro que la vida me resultará tan monótona como en la fonda.

—¿Así conceptúas el amor? Apasionada mía, estás lamentablemente equivocada. ¿Me dejas que te hable de ese posible marido? Lo que sería tu vida a su lado si lo quisieras…

—Me agrada extraordinariamente que hables de esas cosas, Luis. ¡Lo haces tan bien!

—¡Qué zalamera! —susurró Luis, deslizando la mano de Triz hasta el bolsillo de su gabán, donde la ocultó entre sus dedos acariciantes—. Cuando se ama, Triz, la vida no puede ser monótona al lado de un marido. Primeramente, el mismo amor que os proféseis absorberá las horas. Más tarde, cuando la pasión haya decaído un tanto y quede prendido en tus ojos el profundo cariño que tu corazón sin remedio ha de sentir hacia el esposo, llegarán esas horas siempre igual y, sin embargo, diferentes. La caricia de los ojos, el susurro de la boca, el beso cálido, la intimidad dulcísima de dos que se aman y que por ese mismo amor jamás pueden sentir monotonía. —Calló un instante y buscó afanoso los ojos azules—. Triz, apasionada mía, podría hablar mucho, muchísimo de todo esto, pero tú no estás enamorada y quizá no me comprendas.

—¿Y si lo estuviera?

Luis se detuvo. Algún transeúnte se volvía a mirarlos. La ciudad no era excesivamente grande para que sus habitantes desconocieran al famoso doctor Gil de Lecca.

Y los ojos que los miraban parecían indicar que les agradaba Triz para el noble y honrado doctor. Admiraban la gentileza de su compañera, la distinción de aquel cuerpo juvenil, la ternura de sus ojos, claros, la boca que parecía haber sido formada para besar…

—Camina, cariño —pidió ella, bajito.

Luis apretó nerviosamente aquella linda manita que se hallaba cerrada entre sus dedos y caminó.

—Triz, si es que amas, sólo puedes amar a un hombre que yo conozco, y que estudié detenidamente para no errar en mi juicio. Rafael Maturana sirve para Carmen Valero o para otra muchacha cualquiera que nació y creció al amparo del campo… No para ti, mi querida apasionada. Tú eres demasiado exquisita, Triz. Nunca podrías soportar la rudeza de Rafael. Necesitas algo más.

—¿Como, por ejemplo…?

—Un hombre que haya recibido la misma educación que tú. Que sepa comprenderte sin que hables y que se encierre en tu espíritu constantemente.

—¿Y crees que existe es hombre?

—Pude existir, tiene que existir, apasionada mía.

—¿Por qué me juzgas apasionada? —preguntó atrevida, pero imitándole el brillo seductor de su mirada.

Habían llegado a casa. Triz apoyó la espalda en la puerta cerrada y miró al doctor, procurando que la tenue luz del portal sombreara su rostro.

—Porque lo eres, Triz. Lo eres sin amar, lo eres amando. Lo llevas en los ojos y en la boca, y hasta en el pelo…

—¿También en el pelo?

—En todo, Triz. Y en las manos. Eres una mujer apasionada que se oculta celosamente bajo una capa de indiferencia que jamás ha existido. Guardas un tesoro de ternura para el hombre de tu vida, y una gran pasión, una profunda pasión.

Triz, nerviosamente, aprisionó el bolso. Después distendió la boca en una extraña sonrisa y dijo juguetona:

—Tú no eres apasionado, Luis. Eres más bien un hombre escéptico, indiferente...

Luis aspiró con fuerza. El aire de la noche era acariciante y bueno para dar vida a sus pulmones, pero la emoción de aquel momento le atragantaba la garganta, y hubo de realizar un enorme esfuerzo para contenerse.

—¡Qué sabes tú de mí! —dijo al fin con acento monótono.

Cogió presuroso las manos de Triz, las llevó a los labios. Las besó apretadamente en las palmas abiertas y después dio la vuelta.

—Hasta mañana, Triz.

Doce

—Estos días te encuentro aburrida, Triz. ¿Por qué no sales? ¿Es que has reñido con tu enamorado?

Triz ni siquiera movió los ojos. Los tenía cerrados, y las manos bajo la nuca. Se hallaba tendida en el lecho, con los pies colgando y un cigarrillo entre los labios.

—¿Me has oído, Triz?

—Perfectamente.

—¿Y bien?

—Déjame en paz. ¿No oyes el claxon del auto de tu novio? Corre a su lado, Bella, o lo vas a perder.

La llamada Bella, una joven enfermera como ella, que compartía su cuarto en la cama contigua a la suya, avanzó hasta el lecho donde se hallaba tendida su amiga y la miró curiosa.

—Triz, te has enamorado. Es inútil que lo niegues porque yo te conozco bien. Comparto este cuarto contigo desde que llegaste a la ciudad, y tenemos el mismo turno en el hospital. Esto quiere decir que hemos vivido juntas casi toda la vida, excepto la temporada en que cometiste la locura de jugar a ser maestra. Dime, Triz, ¿qué pensabas hallar en un poblado sin cultura?

—Vete, Bella, que el claxon se me está metiendo en los oídos.

—He dicho que estás enamorada, Triz. Y me parece que no es tu amigo el doctor el hombre de tu locura. Porque tú, al amar, mi querida Triz, lo harás con locura, desesperadamente. No es como yo, que todos me gustan un poco y jamás me entusiasmo con ninguno.

—Por eso estás soltera aún.

—¿Y tú?

—Yo lo estoy porque fui una estúpida.

—¡Hala! Eso es estupendo. Deja que Miguel toque la bocina hasta cansarse. Otra habrá por ahí más interesante que yo. Ahora me quedo contigo para que me cuentes.

Triz, con impaciencia, soltó el cigarrillo y lo pisó con el pie.

—Vete, Bella, y no acabes con mi paciencia. Estoy que muerdo, ¿sabes? De buen grado metería al mundo aquí —y apretó la pequeña mano— hasta triturarlo.

—¿Al mundo entero, o a un ser aislado?

—Vete a paseo, Bella.

Bella no se fue. Se sentó tranquilamente en la cama paralela a la de Triz y quitó con despreocupación el gorrito de lana que cubría su linda cabeza. Después cogió un cigarrillo del paquete, que la propia Triz tenía entre los dedos y lo encendió con toda indiferencia.

La bocina continuaba insistiendo, pero a Bella aquello parecía tenerla sin cuidado.

—Dímelo, Triz, si no quieres tenerme aquí toda la tarde. Además, recuerda que he aportado mis preciosas quinientas pesetas para la *Vespa* que ahora, tienes en una esquina del garaje de Luis de Lecca. Así pues, casi tienes una obligación para conmigo. ¿Quién es el bendito mortal que al fin despertó las fibras sensibles del corazón que parecía eternamente dormido?

Triz movió los ojos dentro de las órbitas con desesperación. Bella se dio cuenta en aquel instante de una cosa muy curiosa: de que Triz estaba sufriendo de verdad y de que ella no tenía derecho a atormentarla. Debido a esta conjetura, se inclinó hacia su amiga, le acarició las manos y preguntó bajito, seria:

—Perdona mis tonterías, querida Triz. Empecé a hablar en broma y ahora me doy cuenta de que la cosa es profundamente seria. Si no quieres desahogarte conmigo, no lo hagas. Tal vez no merezco tu confianza.

Triz aspiró hondo. Abrió mucho los lindos ojos y dijo al fin con desfallecido acento:

—¡Oh, sí, Bella, estoy enamorada…! Desesperadamente enamorada. ¿Y sabes de quién? Del hombre a quien he despreciado desde que llegué a la ciudad.

—¿De Luis? —se asombró Bella—. ¡Dios santo, Triz! ¿Cómo no lo has sabido hasta ahora? ¿Tú sabes lo que a ti te quiere ese hombre?

—Ya no me quiere.

—¿Eh? ¡Oh, Triz! Luis tiene que quererte toda la vida. No hay más que fijarse cómo te mira cuando está a tu lado.

—Yo fui al poblado aquél, Bella —confesó Triz desalentada—, amándole ya. No me di cuenta hasta que conocí a otro hombre al que creí amar también. Después, al analizarme a mí misma… Dios mío…

Bella le acarició las manos.

—¿Por qué no viene Luis a buscarte ahora, Triz? Hace tres días que te quedas ahí aburrida y desesperada. ¿Qué hace él que no viene a tu lado?

—Lo ignoro.

—Tampoco fue ayer al dispensario. Y hoy le tocaba visitar la sala B y no apareció. Deberías preguntar, Triz. Pudiera ser que estuviese enfermo y…

Se puso en pie, pálida y temblorosa.

—¿Enfermo?

—¡Oh, Triz! —exclamó Bella, admirada—. Nunca pensé que llegaras a amar de ese modo a tu paladín. Siempre dije que Luis Gil era digno de amar, pero tú te empeñabas en decir que no le querías.

—Ahora le quiero —suspiró Triz ahogadamente—. Le quiero como jamás creí que podía querer a un hombre… ¡Dios mío, Bella! Estoy aquí muerta de pena e ignoto por qué Luis no viene a buscarme. Ya no podría vivir sin sus consejos ni sin sus… caricias.

Bella dio un salto en la cama.

—¿Es que Luis te acarició alguna vez, Triz?

La muchacha aspiró con fuerza, como si le faltara el aire. Miró a Bella con ojos un tanto extraviados y susurró entrecortadamente:

—Nunca me di cuenta de que Luis me acariciaba, Bella. Pero ahora sí me la doy. Es ridícula la actitud que adopté con Luis, a partir del día que le entregué el bisturí para rasgar la pierna de aquella mujer que llegó al hospital provincial una mañana de invierno. Le quise entrañablemente, no podía pasar sin tenerlo a mi lado, lo obsequiaba con una frase cariñosa, y Luis me acariciaba con los ojos. Y no me di cuenta de que necesitaba aquellos ojos como la propia luz de los míos… Tuvo que ser allí, en el pueblo, cerca de otro hombre, bueno también, pero no exquisito y resignado tomo Luis.

—¿Te besó Luis alguna vez, mi querida Triz? —preguntó Bella con los ojos extremadamente abiertos.

—Dos. Una no me di cuenta de que me besaba. Era como si entre Luis y yo aquel beso fuera indispensable. —Pasó una mano por la frente como si tratara de desarrugarla y añadió—: No me di cuenta de que Luis era un hombre y yo una mujer, Bella. Consideraba como algo natural que Luis me apretara en sus brazos, me besara los dedos e incluso me acariciara con la mirada. Una noche estuve durante varias horas apretada en sus brazos muerta de frío y no me di cuenta de que era feliz junto a su pecho hasta que de regreso a la ciudad, en su coche, rozó mis labios en un instante fugaz. Fue como si… como si me quemaran, ¿sabes?

—Triz, eres una mujer ideal. Y Luis ha sido en tu vida un caballero maravilloso. Lástima que estos Migueles y estos Juanes que me acompañan a mí, me pidan un beso el mismo día que nos presentan. Querida Triz, hombres que sepan contenerse y amar a una mujer existen muy pocos. Tu paladín es un ser aislado, en este valle de lágrimas lleno de bajas pasiones y enfermizos deseos. Ve al lado de Luis, amiga mía, no le dejes escapar por un tonto orgullo sin sentido.

Triz inclinó la cabeza sobre el pecho y permaneció con los labios apretados. Miró luego vagamente hacia la ventana y observó que estaba lloviendo. Además, hacía frío. Febrero se perfilaba húmedo y helado. Alguna nube oscura paladeaba en el firmamento la satisfacción cruel de ver correr a la gente de un lado a otro, escapando del agua que ellas dejaban caer sin piedad alguna.

—Me voy, Triz. Miguel sigue fastidiando la tranquilidad del barrio con su bocina. —Se encaminó a la puerta y desde allí contempló de nuevo a su amiga—. Me gustaría sentir un amor como el tuyo, Triz. Es maravilloso. Miguel jamás me coge la mano por el simple placer de cogérmela, lo hace bien consciente para mañana, después de coger la mano, aprisionar el brazo. Y nosotras, las que nos dejamos coger la mano y luego el brazo, nos sentimos decepcionadas del materialismo, aunque aparentemente no lo parezca. Adiós, Triz. Espero que cuando regrese me cuentes algo más satisfactorio.

Se cerró la puerta y Triz se puso en pie. Tenía la faz un tanto pálida y los labios temblaban convulsamente, como si contuviera un sollozo.

Se peinó un poco los cabellos, se puso la gabardina sobre la falda gris y el jersey negro, y un pañuelo de múltiples colores que ató en derredor del cuello. Después cogió el gorrito de lana y lo puso en la cabeza. Con los guantes en la mano, salió de la alcoba y bajó hacia el salón donde esperaba hallar a los demás huéspedes.

En efecto. Un enjambre de jóvenes de ambos sexos trataban de distraer las horas de encierro. Contaban cuentos o jugaban a la canasta. Triz los contempló con cariño. Eran compañeros de fatigas. Casi todos pertenecían a hospitales o dispensarios, e incluso a clínicas particulares. Miró también a la patrona, que trataba de coser un mantel sentada cerca de la ventana, pero no conseguía hacer gran cosa, porque la risa de sus huéspedes la distraía constantemente. La patrona amaba a sus muchachos. Se dedicó a ellos a partir de su viudedad y los consideraba como hijos. Triz avanzó hacia ella y le tocó en el brazo.

—Voy a salir, señora Ruiz.

—Pues llévatelos a ellos, querida mía —rió la dama, cariñosa—. Me tienen loca con sus gritos.

—La mitad marchará en seguida, les corresponde el turno de la noche. La otra mitad es casi seguro que saldrá más tarde a bailar un rato por ahí.

Al ver a Triz en mitad del salón, muchos ojos se volvieron sonrientes y, de pronto, un «¡Viva la gran Triz!» atronó los ámbitos.

—Estáis muy ociosos, amigos míos —susurró la joven, dulcemente—. ¿No os dais cuenta de que doña Rosa quiere coser y con vuestros gritos la distraéis?

—¿Doña Rosa? —preguntó una muchacha pelirroja, llena de encanto—. No vive sin nosotros, Triz. Nuestro deber es distraerla. Que deje el mantel. Todos estamos de acuerdo en comer sin él.

Nuevas risas. Un muchacho se aproximó a Triz y le tocó en el brazo.

—¿Qué le sucede a Gil de Lecca, Triz? Esta mañana he leído en el periódico que suspendía su consulta por enfermedad.

Las facciones de Triz se relajaron. Hubo un destello de ansiedad en su mirada, y la boca trató de murmurar algo, pero no pudo.

—¿Es que no lo sabías, Triz? Le corresponde ir a mi sala dos veces por semana y ayer era el primer día y no fue. No se me ocurrió preguntar, pero estoy seguro de que el médico de guardia lo sabía.

—Es posible —dijo uno, con un hilo de voz.

Se despidió presurosa y cruzó la calle. Llovía torrencialmente, pero Triz no se fijó en aquel detalle. Un taxi cruzó la calle en aquel momento. Triz lo detuvo.

—A la calle... —dijo ansiosamente—. En seguida, se lo ruego.

Luis Gil de Lecca se hallaba sentado tras la gran mesa del despacho. Vestía pantalón de franela gris y un jersey blanco. Tenía el cuello de la camisa desabrochado y un cigarrillo en la boca.

Sus ojos claros los amparaban unas gafas *Truman* y de vez en cuando se las quitaba para limpiar los cristales. Había un montón de papeles sobre el tablero de la mesa, y Luis lo hojeaba distraído, al tiempo de estampar su firma al pie del escrito. Al extremo opuesto del despacho se hallaba la secretaria, de pie, esperando quizá que el doctor concluyera con las firmas para llevar las cartas al correo.

—Esta no me agrada, señorita Martín. Debe ser redactada más cuidadosamente. Déjela usted para mañana. Ahora coja todo eso y lléveselo. Me duele un poco la cabeza y no vamos a trabajar más por hoy. Puede usted retirarse.

Salió la muchacha y la puerta se abrió de nuevo, súbitamente, casi con estrépito.

La figura de Beatriz Falcó, con la gabardina empapada y el gorrito en la mano, avanzó ansiosamente hacia él.

Luis se puso en pie de un salto y, presuroso, corrió hacia ella.

—Mi amada Triz, ¡qué locura haber salido de casa con este día! Y estás pálida, apasionada mía. ¿Qué sucede?

Triz se agitó. Miraba ansiosamente el rostro un poco pálido del doctor, cuya barba no había sido rasurada en algunos días, lo que daba a su rostro una máscara de atractivo natural.

—¿Por qué me miras de ese modo, Triz? ¿Por mi barba? Me afeitaré mañana, pequeña. —Una rápida transición y aprisionó las manos de Triz entre las suyas—. Las tienes heladas, querida mía.

—Me han dicho que estabas enfermo, Luis.

—¿Enfermo? ¡Ah, sí…! Fue un punto de pulmonía que ya desapareció. —Pasó un brazo por los hombros de Triz y se dio cuenta de que estaba mojada—. Te quitaré la gabardina. ¿Vas a merendar conmigo, apasionada mía?

Triz estaba desalentada. No sabía qué decir. Antes siempre hallaba un tema encantador de charla. Ahora…

Sintió que los dedos masculinos le quitaban la gabardina mojada. Después las manos de Luis quedaron prendidas en su cuello.

—¿Te quito también el pañuelo, Triz?

La joven se revolvió apasionadamente. Un brillo de rabia iluminó sus ojos por un instante, un instante fugaz que no tomó cuerpo, ya que Triz, al tropezar con la mirada serena del doctor, se hubiera abofeteado por estúpida, pero reconoció, no obstante, que Luis Gil de Lecca no tenía sangre en las venas o era, sencillamente, un indiferente a la belleza de la mujer que había dicho amar… Le estaba quitando el pañuelo que rodeaba su cuello con la misma naturalidad que si despojara a una muñeca de cera de su vestimenta. Y ella sentía el calor de los dedos de Luis en su carne y, a su pesar, experimentaba aquel hondo placer que era mezcla de amargura y desencanto.

—Estás temblando, Triz —comentó él tirando el pañuelo junto a la gabardina—. Aquí entrarás en seguida en reacción. Voy a decir que nos sirvan aquí mismo la merienda. ¿No has ido hoy a tu hospital?

Triz no respondió.

Fue hacia el diván y se dejó caer. Hacía un calor acariciante en el despacho. El radiador de la calefacción se hallaba cerca del diván, y Triz, muda y seria, extendió las manos hacia los hierros; pero Luis se sentó a su lado, y la alcanzó en el aire.

—Ven, te las calentaré yo con las mías —dijo dulcemente, frotando las manitas temblorosas entre sus dedos—. Es un calor más natural y, por lo tanto, beneficioso.

Triz lo miró de frente. Tenía los labios apretados y sus ojos brillaban con una luz desusada en ellos. Estaba muy bonita... El hombre la observaba calladamente. Más hermosa que nunca, con aquel brillo inusitado en las pupilas y aquel fruncimiento de boca voluntarioso, un poco cruel. Apretó los deditos casi hasta hacerla daño, y después, lentamente, inclinó la cabeza sobre las dos manos y las besó en las palmas abiertas.

—Tú eres un hombre de cera, Luis —dijo Triz de súbito, sin poder contenerse.

La cabeza de Luis se elevó con brusquedad.

Su mirada, que se clavaba interrogante en el rostro arrebolado de Triz, era más honda, más brillante.

—¿Por qué lo dices?

—¡Déjame!

—Pero, Triz, no te comprendo...

—No está bien que cojas mis manos y me las beses de ese modo.

—Triz, mírame a los ojos. A ti te pasa algo. Me dices primero que soy un hombre de cera... Posiblemente. Los hombres somos de carne, Triz. Pero a veces, el verdadero hombre tiene el deber de pensar que es de cera o de hierro.

—¿En todos los momentos de su vida?

—Especialmente cuando se halla al lado de una mujer como tú.

Triz se puso en pie. No había cordialidad. Todo iba cambiando poco a poco.

—Siéntate de nuevo, Triz. No te voy a dejar marchar así, sin que seas más explícita. Antes cogía tus manos, las estrujaba entre las mías, las besaba… ¿Por qué ahora esto, que antes considerabas natural, te parece censurable? No hay nada pecaminoso en mi actitud para contigo. ¿Tienes algo que reprocharme?

—Eso es precisamente, Luis, lo que me desespera, que no puedo reprocharte nada.

—¿Quisieras tener que reprocharme algo, Triz? Es curioso esto, ¿verdad?

Triz volvió a ponerse en pie, pero esta vez, él no la retuvo, sino que se puso en pie a su vez y la cercó con sus brazos.

—Apasionada mía, hoy vienes a verme de muy mal humor. Se diría que me has visto ayer y, sin embargo, hace tres días que estoy esperando verte aparecer por esa puerta y hoy que llegas es para enojarte conmigo.

—No supe que estabas enfermo —dijo, separándose blandamente.

—Ni te has preocupado en preguntar.

—¿Por qué había de preguntar, si tú no me lo mandaste decir? Pudiera ser que en vez de estar enfermo, desearas no verme más. Todo llega a cansar en la vida.

—¿Cansar? ¿Puede un hombre cansarse de una mujer como tú? ¿Tengo algún motivo para hastiarme, Triz? Por otra parte, Triz, me estoy preguntando por qué ahora no me llamas cariño. ¿Es que he dejado de ser para ti ese cariño? ¿Es que tal vez Carmen Valero ha muerto y Rafael Maturana ha venido a buscar a su linda maestra?

—¡Luis!

Luis estaba sonriendo como si no dijera nada en concreto. Y Triz se dio cuenta en aquel instante de una cosa extraordinaria. Que después de haberlo tenido a su lado un buen número de años, de haberlo tratado casi como si fuera su hermano, continuaba sin conocer a Luis. ¿Cómo sentía aquel hombre? Triz sabía lo que Luis pudiera sentir al lado de una hermana o de una amiga, pero en cambio ignoraba lo que el doctor Gil de Lecca experimentaba al lado de... una mujer.

—No te ofendas. Es un juego de palabras como otro cualquiera. ¿Pido la merienda o te vas?

—¡Me estás echando de tu casa, Luis! —exclamó la joven, con ahogado acento.

—No, apasionada mía. No puedo echar de mi casa a una mujer que cuando entra en mi hogar, trae consigo el sol de la vida, y cuando sale se lo vuelve a llevar.

Triz se dejó caer en el diván y cruzó las piernas. Sin mirarlo, murmuró:

—Tienes la virtud, Luis, de hacer agradable tu compañía a todo el mundo. Tus frases siempre resultan interesantes.

Luis se sentó a su lado y pasó un brazo por los hombros de Triz. Después, con el otro, le rodeó el busto, y mirándola muy cerca, le dijo bajito:

—Triz, voy a hacer algo que luego me vas a reprochar, ¿quieres? Hace mucho tiempo que nos conocemos, apasionada mía. Y nunca me has dicho que era un hombre de cera. Hoy me lo has dicho, y mi deber de hombre es demostrarte que estás equivocada. Además, has sugerido la idea de que sería conveniente para ti y quizá para mí que existiera algo que te obligara a reprocharme... Es posible que después me reproches de verdad y no vuelvas más por aquí; pero yo, como hombre de carne, tengo el deber de quemar mi último cartucho. Voy a besarte en la boca, Triz.

—Lu...

El nombre, incluso, quedó profundamente ahogado por unos labios poderosos que no eran de cera precisamente. Fue un siglo interminable para el pajarito que deseaba contemplar de nuevo el sol en los ojos de Triz, un minuto dulcísimo para ésta y un segundo para el hombre que, por primera vez, podía dejar a un lado su capa de hierro para ser, sencillamente, de carne.

Triz, muda por la sorpresa, permanecía muy quieta, con la cabeza apoyada en el brazo de él. Los labios de Luis Gil de Lecca continuaban aún adheridos a los suyos, y el brazo izquierdo cercaba su busto con ademán acariciante, intensísimo. No la besó una y mil veces, sino una sola vez, ¡pero de qué modo! No era de cera ni de hierro. Era un hombre de carne, con labios ardientes que ocultaban una encendida pasión. Era un hombre que sabría querer, apasionar y volver loca a una mujer. Dominada por el poder de aquella boca, Triz besó a su vez y los brazos que al principio estaban aprisionados por la sorpresa, se movilizaron lentamente y fueron a cruzarse sobre el cuello de Luis. Y éste aún continuaba besándola, en el mismo beso, con mayor intensidad. Los dedos nerviosos de Triz se enredaron en los cabellos negros y hurgaron después temblorosos y ávidos en el cuello potente del hombre, que hasta aquel instante había sido un amigo del alma, y que en adelante era sólo un hombre, el hombre de su vida y de su amor... Muy despacio dejó de besarla, pero no le entregó los ojos, ya desprovistos de los lentes de oro. Sus labios quedaron presos en las comisuras de la boca de ella, y dijo bajito la voz un poco extraña de Luis:

—Puedes reprocharme, Triz, mi apasionada.

Triz se desprendió de sus brazos blandamente. Le hurtó el brillo inusitado de su mirada. Miró hacia delante y quedó muda y absorta.

—No te pido perdón, Triz, ni me disculpo —dijo él aprisionando sus manos, que estrujó nerviosamente.

Triz no respondió.

—Pequeña...

—Déjame...

—Me guardas rencor, ¿verdad? Si te dejara marchar sin demostrarte que no era de cera, tú misma te reirías de mí después... Era mi deber, Triz. Tú sabes en el fonda, lo sabes bien, que no soy un hombre indiferente. No he querido jamás a una mujer...

Triz se volvió en redondo y lo miró de frente, con ansiedad.

—Antes de marchar al poblado, me pedías que me casara contigo. ¿Lo hacías por caridad?

La boca de Luis esbozó una sonrisa.

—Apasionada mía, te lo pedía porque te necesitaba.

—¿Y me has besado ahora...?

Luis amplió la sonrisa. ¡Cómo le gustaba jugar con el corazón apasionado de aquella mujer tan idealmente femenina!

—Porque tú me lo pediste.

—¡Luis!

—No te excites, Triz. En realidad has de convenir conmigo en que me incitaste a ello. Sería absurdo que un hombre como yo continuara haciendo el ganso cerca de una mujer que ha dejado de ser una chiquilla.

—¡Luis!

—No grites tanto, Triz. La criada puede pensar que te estoy matando.

La joven se puso en pie con violencia. Había lágrimas en sus ojos y un temblor de amargura en los labios, que aún le dolían.

—Me voy, Luis. Nunca más volveré a tu casa. ¡Nunca, nunca más!

Luis le cerró el paso y la miró sonriente.

—Triz, estoy muy solo, ¿sabes? No tengo calor familiar. A veces me entran unos deseos horribles de suicidarme, y creo que un día cualquiera lo haré si no consigo una compañera. Tú no me amas, lo sé —sonrió de un modo especial, que Triz no supo comprender ni interpretar—. Pero me quieres profundamente, casi como si fuera tu hermano. ¿Por qué no te casas conmigo y vienes a vivir conmigo? No te pido nada, querida… Seremos dos buenos amigos dentro del hogar y tú dejarás de ir al hospital.

Los ojos de Triz se abrieron desmesuradamente.

—¿Y me pides que sea tu mujer sin amarme?

—¡Qué tontería! ¡Tampoco me amas tú a mí!

Triz bajó los ojos. Dos lágrimas pugnaban por brotar de ellos. Pero el rostro sofocado se alzó hasta el de Luis. No había humedad en aquella faz.

«Triz es una muchacha valiente», pensó Gil.

—¿Qué dices, Triz? Si es que deseas complacerme, cásate conmigo. Te prometo no cometer jamás, la locura de besarte…

Triz se estremeció.

—Me casaré contigo, Luis —dijo, casi mordiendo las palabras—. Me casaré y después…

—Es muy temerario vaticinar ese después, apasionada mía.

Llegó a la fonda sofocada y nerviosa.

—¿Qué ha pasado, Triz?

Bella estaba allí, sentada en el borde de la cama, con un cigarrillo entre los labios, sonriendo burlonamente.

—Me voy a casar con él —chilló Triz descompuesta—. Me voy a casar, ¿sabes? Y no me quiere.

—¡Ji, ji! —rió Bella cómicamente—. Los hombres como Gil de Lecca son demasiado inteligentes, amiga mía.

—¿Por qué lo dices?

—¡Oh, por nada! Toma, esta carta ha llegado para ti. Remite un tal Rafael Maturana. Me la dio el cartero cuando ya bajaba y, por no volver a subir, esperé hasta este instante. En realidad, no creo que sea muy interesante su contenido. La he leído.

—¡Bella!

—Perdona, querida. Otras veces lees tú las mías.

—Pero las cartas que tú recibes son estúpidas, Bella. De tontos enamorados a los que vuelves locos.

—El tal Rafaelillo no es precisamente un indiferente a tus encantos, cariño mío.

—Eres incorregible. Bella.

Desplegó la carta y leyó:

«Triz: Un día me pediste que por tu cariño me reuniera con mi esposa… Sigo queriéndote, Triz. Te querré siempre, mientras viva. Has sido el único cariño de mi vida, pero ahora vivo con mi mujer. ¡Oh, sí, vivo con ella y, al mirarla, quiero hacerme a la idea de que eres tú! Pero no lo eres, Triz. Esa es la pena. De todos modos, te he prometido, sin que tú me hayas oído, ser fiel y bueno para esta mujer que es la madre de mi hijo, y poniendo un poco de parte de cada uno, seremos un matrimonio tranquilo y feliz… Felices sin amor; pero felices, porque la figura de nuestro hijo bendice el hogar. Dios te lo pague, Triz, y sé muy feliz a tu vez con el hombre elegido por tu corazón. Quiero advertirte que vivo con ella, porque no deseo que en tu corazón me guardes rencor. Vive tranquila, Triz, y recuerda alguna vez a los habitantes de un pueblo que fue cruel contigo y ahora te respeta profundamente. Rafael, con devoción.»

Quedó con la carta en la mano y los ojos clavados en la lejanía.

—¡Triz!

—¡Oh, Bella, cuánto me duele que te hayas burlado de una carta tan hermosa!

Bella se puso en pie. Al, mirarla, Triz se dio cuenta de que los ojos de Bella se hallaban humedecidos.

—Triz, hay mil formas de disimular la emoción.

—Voy a casarme con el hombre que amo, Bella, y sin embargo, él no me ha dicho que me quería.

—Siempre dije que las enamoradas eran ciegas de nacimiento, Triz. Tú no ves más allá de tus propias narices.

Epílogo

¡Qué invierno más desastroso! Estaba lloviendo como a primera hora, como el día anterior, y como toda la semana. El agua azotaba los cristales, y Triz, con la frente apoyada en el cristal de la ventana del saloncito, contemplaba la noche con ojos casi cerrados.

Se había casado aquel día, aquella misma tarde, hacía tan sólo unas horas. La ceremonia había tenido lugar en el mismo hospital, rodeada de amigos y compañeros. Luego siguió el banquete, también en el hospital, y más tarde…

Suspiró. Al saloncito llegaba la voz tan personal de Luis, que hablaba por teléfono con un cliente. ¿Es que no sabían que se había casado aquel día? ¿Por qué no lo dejaban tranquilo?

Miró el reloj. Eran las doce de la noche, y fuera continuaba golpeando el agua sobre el duro adoquinado y azotando los cristales sin piedad alguna.

Ya estaba en casa de su marido. En su propia casa, unida al hombre que había sido su paladín durante años y años. Ahora ella tenía veinte. ¿Cuántos hacía que conocía a Luis? A los dieciséis había entrado en el hospital. Le conoció en seguida…

—Ya estoy aquí, apasionada mía —rió él, cerrando la puerta del saloncito.

Parecía más arrogante dentro del traje negro. Triz vestía un modelo negro también, que hacía más esbelta y mórbida su distinguida figura, que parecía haber escapado de *Vogue*.

—Triz, estamos casados. Somos uno del otro ante Dios y los hombres, y me agrada esta noche de invierno para permanecer en este saloncito en la intimidad, uno al lado del otro,

—Muy poético —chilló Triz con unos deseos terribles de llorar.

Luis pareció no tomar en cuenta aquella salida de tono, y la cogió por la cintura.

—Vamos a sentarnos allí, Triz.

—No tengo deseo alguno de sentarme. No estoy cansada.

—Vaya, Triz, estoy observando que después de ser una deliciosa muchacha, se agria tu carácter cuando debieras ser más complaciente.

—Vete a paseo, Luis. ¡Oh, sí, vete lejos! Me resultas insoportable con tu ecuánime temperamento siempre igual. ¡Desesperadamente igual!

—Desde ahora tendré que reñir, Triz —adquirió una seriedad extraordinaria, levantó la mano y gritó—: he dicho que te sientes en la turca, Triz, y espero no tener que volver a repetirlo.

La joven lo contempló horrorizada.

—No nos hemos conocido hasta este instante, Triz —chilló él, conteniendo el inmenso deseo de reír—. Ni tú eres como aparentabas, ni lo soy yo. Vas a vivir sometida a mí tiranía, Triz, y espero que seas lo suficientemente dócil para no obligarme a pegarte.

—¡Pero, Luis…!

—¡Siéntate allí, Triz!

Como sugestionada, fue hacia la turca y se sentó en el borde. Seguía lloviendo.

Luis se quitó la chaqueta y en mangas de camisa, dio algunos pasos por la estancia. La miró al fin, deteniéndose ante ella y mirándola desde su altura.

—Triz, tienes veinte años. Yo soy un viejo a tu lado.

—No hables de eso. Creo que lo sabías hace mucho tiempo. Ya cuando, antes de ir al poblado, me pediste que me casara contigo. ¿Era también para atormentarme?

De un salto, Luis estuvo a su lado. No parecía el, ecuánime doctor cariñoso y bueno que hablaba maravillosamente de todo, comprendiéndolo todo, observándolo todo.

Fue tan violento su ademán, que Triz cayó hacia atrás en la turca, aplastando con la cabeza el cojín.

—Estoy atormentándome desde que te conocí, Triz —exclamó Luis muy bajo, pero intensamente, obligándola a permanecer en aquella posición—. Estoy enloquecido porque tú, o me has creído un idiota o un hombre exento de deseos y pasiones. Y soy un hombre como los demás, Triz —añadió, pegando su boca al cuello tibio de Triz—. He sido demasiado bueno a tu lado y tú no me has comprendido: confundiste la bondad con la indiferencia… ¡Gran Dios! ¿Cómo eres tan tonta, Triz? ¿Cómo no te has dado cuenta?

Triz tenía los ojos muy abiertos. ¿Sería posible? ¿Cómo había estado tan ciega? Buscó afanosamente la mirada fría, pero no pudo hallarla, porque él estaba inclinado sobre ella, besando enloquecido su cuello, como si estuviera resarciéndose de un tiempo que había pasado ya y que había contado minuto a minuto.

Enredó los dedos en el cabello negro y, nerviosamente, trató de levantar la cara masculina.

—Cariño —susurró al fin, cuando lo tuvo pegado al suyo—, ¿por qué has tardado tanto en decírmelo? ¿No te dabas cuenta de que yo sufría?

—Supe que sufrías, Triz, apasionada mía —musitó con la boca pegada a su rostro—. Lo supe y dejé que sufrieras porque tenías que ser tú la que vinieras a mí. Recuerda que habías besado a otro hombre…

—Tú acogiste la noticia como la cosa más natural del mundo.

Luis se estremeció, apretándola en sus brazos.

—Era una forma como otra cualquiera de domeñar mis deseos. Me has creído un hombre de cera, Triz. Y no lo soy. Quiero demostrarte que no lo soy…

—Ya me lo has demostrado, cariño —suspiró roja como una amapola—, pero quiero que vuelvas a demostrármelo.

Y, súbitamente, apretó convulsa la cabeza de Luis y pegó sus labios a los labios del hombre.

—¡Dios mío! —susurró él, un segundo después, con el acento enronquecido por la emoción—. ¡Cuánto tiempo esperando este instante!

Un relámpago iluminó la estancia y, después, la luz se extinguió.

—¿Qué ha sido?

—Nada, apasionada mía. Estás a mi lado y te quiero como un loco.

—Y pensar que pude darme cuenta del cariño que te tenía ya antes de marchar al poblado… Y pensar que he dejado correr el tiempo creyendo que continuabas siendo el amigo del alma…

—Recuerda cómo me has dicho que querrías a tu marido, Triz. Recuerda lo que habías de darle.

—Toda mi vida, cariño —suspiró Triz, pegada a aquel cuerpo poderoso—. Todo mi ser —añadió bajito—. Pero estoy muerta de vergüenza, Luis.

—¿Vergüenza?

—¡Oh, sí! Nos hemos mentido el uno al otro, y sin embargo…

Ahogó la voz con su boca. Triz se apretó contra él y enredó sus nerviosos dedos en el pelo negro.

—Estoy muerta de vergüenza, cariño. Pero te quiero, ¿sabes? Nunca he querido a nadie, nunca experimenté el placer que siento ahora cerca de un hombre.

—Pero si fui tu primer hombre, Triz —dijo él, muy quedo—. El primero y el último de tu vida, apasionadamente mía.

—¡Oh, sí, el primero y el último…! Bésame otra vez, cariño, como aquel día en el despacho.

—¡Apasionada mía! —suspiró Luis, envolviéndola en el breve círculo de sus brazos.

Al otro lado del tabique, el pajarito parpadeaba en la jaula, preguntándose por qué sus ojos no tendrían poder suficiente para traspasar la pared de aquella estancia.

Mi marido me espera

Will Lomax, acaudalado financiero londinense, recibe una carta de Thomas, su amigo de la infancia. Él también ha triunfado y es ahora un multimillonario que desea sentar la cabeza. Le pide a su amigo que le encuentre una mujer a su medida, "morena, alta y arrogante", se case con ella por poderes y se la envíe a América.
Beatriz Mac Whirter, una distinguida muchacha, acaba de ser abandonada por su prometido. Para evitar el escándalo accederá a casarse con un extraño. El encuentro de dos temperamentos indómitos revolucionará la vida de ambos.

Boda clandestina

Ketty Iwahinosky es una joven de veinte años que vive
una situación muy complicada: es huérfana y debe hacer-
se cargo de sus dos hermanos pequeños y de la empresa
familiar, unos importantes astilleros. El testamento que
dejó su padre le impide casarse antes de los veinticinco
años y su madrastra vigila todos sus movimientos. Cuando conoce a Roberto, un ingeniero completamente de-
sengañado del amor que no quiere ni oír hablar de las mujeres, una oleada de sentimientos desconocidos se apodera
de ella.

La colegiala

Denise Winters es una aristócrata inglesa que acaba de salir del internado donde ha pasado toda su adolescencia; esa es la razón de que no conozca las reglas y los prejuicios de la clase a la que pertenece. Cuando se encuentra con Jack, un orgulloso periodista de sociedad, queda fascinada por él. Pero las presiones de su entorno y el difícil carácter del joven pondrán las cosas muy difíciles a su historia de amor.

Un hombre ante mi puerta

La familia de Katia Greenshaw, que fue ilustre y adine-
rada, pasa por un momento financiero muy crítico. Por
ello, la joven decide ponerse a trabajar como camarera
en un *night-club* de los bajos fondos. Cambia su nombre
y piensa que nadie la reconocerá, pero se encuentra con
un pérfido aunque atractivo hombre que descubrirá su
situación e intentará aprovecharse de lo que sabe.

Aventurera

Curk Hayward es un joven millonario prometido por razones familiares y financieras a una chica de su mismo nivel social. Su destino parece inalterable. Pero se encuentra con Evora Brown y comienzan las dudas. Ella es una muchacha sencilla, apacible, que sabe dar sin pedir nada a cambio. Curk entabla una relación con Evora que dará mucho que hablar y pondrá en peligro la reputación y los planes de ambos.

La boda de Ivonne

La joven Ivonne Fossey trabaja en una clínica privada a las órdenes del mezquino doctor Kleibert. Éste se encapricha con su empleada y trata de seducirla por todos los medios, consiguiendo solamente que ella le desprecie. Pero Ivonne se halla en una difícil situación familiar: su tía anciana está enferma y sólo Hans Kleibert puede operarla. Así que, para salvar a su tía, debe acceder a una boda con un hombre al que aborrece.

Susana

Susana es una jovencita de dieciocho años. Risueña y pícara, parece conseguir siempre lo que desea. Incluso sabe cómo tratar a su autoritario padre, con el que el resto de la familia tiene serios enfrentamientos. Su receta está clara: una medida de diplomacia y un pellizco de simpatía. Sin embargo, Susana tiene un problema: ama a su profesor. ¿Le servirá también su particular receta para conquistar el corazón de su estimado maestro?

Un hombre y una mujer

Al quedar viudo, Jusepp Lemaire, jardinero del castillo de los Cutlar, decide partir en busca de una fortuna y posición que ofrecer a sus hijos. Perla, la mayor, es altiva pero frágil, Nemie es noble, humilde y fuerte de espíritu, y Leo, el benjamín, es un inocente bebé.

Ahora Jusepp exige a lady Cutlar que dé amparo a sus hijos en pago de un viejo favor. En realidad Perla es la sobrina de milady nacida en escandalosas circunstancias, y a la que los Lemaire aceptaron como propia, si bien ha sido educada junto al cruel y despótico heredero, Lawrence, que ha jurado desposarla.

Los Cutlar se van a vivir a Londres. Pero diez años después regresan y el joven lord queda fascinado con Nemie, convertida en el ideal de mujer. Las convenciones sociales y el orgullo de Perla se interponen pero, por encima de todo, ellos son un hombre y una mujer.

El recuerdo de aquel día

Michele Vlady es una famosa abogada criminalista, admirada en los ambientes más selectos de Nueva York. Parece haber alcanzado la cima del éxito pero en su interior guarda la sombra de una desgracia.
Su padre, un aristócrata arruinado, la casó por conveniencia con el famoso explorador Kirk Garret, guapo y libertino millonario, quien no supo valorar el amor y la pureza de Michele. Tras ser acusado del asesinato de una bailarina, su esposa accedió a defenderlo pero su corazón y su matrimonio ya estaban rotos. Ahora, tras cinco años de separación, Kirk vuelve reclamando sus derechos como padre... y como esposo.